ビジネス教養としての

最新科学トピックス

茜

Ak

インターナショナル新書　130

はじめに

新聞の科学記者を目指していた大学3年時、私は力試しにゴールドマン・サックスのインターンシップに応募し、参加する機会を得ました。

業務体験や他の研修生との交流は刺激的でしたし、やたらと高いアルバイト代と、社員の机の上に飾られていた数千万円はしそうな愛車の写真も印象的でした。けれど、私の心に何よりも深く刻まれたのは、パートナー（役員）が講義の中で「海外の一流ビジネスパーソンは、科学の話題にも通じている。文系出身者でも『サイエンティフィック・アメリカン』を読んでいる」と話したことでした。

当時、「国内のビジネスパーソン向けにも、わかりやすい科学記事が必要だ」と考えた私は、新聞記者を経てフリーランスで活動するようになって、ますます「自分が選んだ最新科学トピックスを自分の言葉で紹介したい」という気持ちが高まりました。そして、2021年9月にニューズウィーク日本版ウェブに機会を得て、科学コラム「サイエンス・ナビゲーター」がスタートしました。毎週連載の同コラムに、最新の状況を加筆修正してまとめたものが本書です。

科学技術は、科学者だけが内容や意義を知っていれば良い、というわけではありません。個人や社会を豊かにするとともに脅かす可能性もありますから、「自分は利用すべきか」「社会は取り入れるべきか」については、文系理系を問わずすべての人が自分の意見を持つことが大切でしょう。それに、難しいことを抜きにしても、科学技術の新しい発見や開発成功は人々をワクワクさせる話題です。「何が新しいのか」「どこがすごいのか」をわかりやすく説明したら、もっと多くの方々に教養としての科学を提供できるのではないか。そんな想いが、私の科学記事執筆の原動力となっています。

本書は、連載コラムから選りすぐった最新の科学トピックスで構成されています。テーマは、若田光一宇宙飛行士へのＳＤＧｓに関するインタビュー、新型コロナウイルス感染症、月探査計画、両親がオスの赤ちゃんマウス、１００年前の未来予想図など多岐にわたります。それぞれは5分で読める分量なので、面白そうだなと思った話題からスキマ時間なども利用して読んでいただけたら嬉しいです。ありがたいことに、「サイエンス・ナビゲーター」は、理系研究者や教員からも「専門分野でないテクノロジーを知ることができて面白い」「生徒に伝えたい」などの声を寄せていただいています。新書版も、幅広い方々に楽しんでいただけたら幸いです。

本書の執筆にあたり、「サイエンス・ナビゲーター」の編集者であるＣＣＣメディアハウスの岩辺智博氏と、新書の担当者である集英社インターナショナルの藤あすか氏にはとりわけご尽力をいただきました。深く感謝いたします。

目次

第3章 地球・環境 97

第4章 生物 137

第5章　アートとテクノロジー

第1章　宇宙

宇宙からの帰還後、国際宇宙ステーションで行われたミッションについて説明する若田光一宇宙飛行士（2023年5月、撮影・筆者）

スペシャル・インタビュー

宇宙飛行士・若田光一さんに聞く宇宙視点のSDGs「宇宙船地球号は大きくて、我々は楽観視してきた」

2015年9月に国連総会で採択されたSDGs（持続可能な開発目標）は、30年までの15年間に国際社会が行うべきアクションの指標です。

折り返しの年となった23年現在、企業やアカデミアでは、今やSDGsを意識せずには組織運営や研究活動は成り立たなくなりました。また、個人においても、社会や地球環境に対して「自分は何ができるか、どうアクションを起こすべきか」について考える際に、SDGsの17の目標は判断基準として認知が高まりました。

SDGsは、地球規模の大きな視点から、国際社会における水や貧困、ジェンダーなど様々な格差を解消しながら、環境保護をしつつ開発するものです。

では、もっと大きな視点——「宇宙視点」を取り入れた場合、SDGsにはどのように貢献できるでしょうか。宇宙に計504日18時間35分滞在（日本人最長）し、5回目の宇宙飛行から帰還したばかりの若田光一宇宙飛行士に話を聞きました。

若者の宇宙実験参加で人材育成

――若田さんが携わっている宇宙開発事業は、地球のSDGsにどのように関わっているのでしょうか。

若田　開発目標の番号で言うと、まず、4番の「質の高い教育」とか、6番の「安全な水とトイレ」の水のほうが思い浮かびます。それから、9番の「産業と技術革新の基盤をつくる」とか13番の「気候変動対策」、17番の「パートナーシップで目標達成」ですね。

――具体的な事例があれば教えてください。

若田　「質の高い教育」を実現するために、国際宇宙ステーション（ISS）の「きぼう」日本実験棟を通して、人材育成や教育を行っています。

今回、私がISSに滞在している時に担当したものでは、「アジアントライゼロG」があります。アジアの若い世代から地球軌道上で行う簡易実験のアイディアを募って、選ばれた実験を宇宙飛行士が「きぼう」で行うプログラムです。8カ国・地域の480人が参加してくれて、そのうちの6件を1月に私が軌道上で実験をしたんです。高校生や大学生が提案してきたものを、実際に宇宙を使って、無重力空間で水の渦や毛細管現象などを観察して、物理現象がどうなるかということを調べました。

――自分のアイディアを宇宙で実現してもらえる可能性があるのは、将来、宇宙に関わる仕事をしたいという夢を持つ若い世代の励みになりますね。

若田　それから「きぼう」ロボットプログラミングチャレンジというのもあります。「きぼう」日本実験棟の中に、浮遊するロボット「ドローン」があるので、毎回課題に沿ってプログラミングをしてもらうんです。ISS内でエアリーク（空気漏れ）が発生したというシナリオで、ここからここまで飛んでいって、レーザー照射で塞ぐ、とか。ロボットのプログラミングを通して人材育成に貢献するもので、これも昨年10月に実際に軌道上で決勝を行ったんですが、世界12カ国・地域で合計1431人も参加してくれました。

水再生技術は地球開発につながる

――先日（5月24日）の「軌道上での活動成果」の報告会では、宇宙空間での水再生技術が初めて最終段階まで成功したと伺いました。

若田　私たちは月探査に向けて、水を再生する技術を開発しています。人間の汗や尿を宇宙で飲み水まで再生するもので、これは月探査を持続的に進めていく時に、なくてはならないものなんです。これまでも「きぼう」日本実験棟で技術実証してきましたが、なかなかうまくいかない時代が続きました。今回初めて、全工程を運用することができました。

このことは、当然月探査にとっても非常に重要なんですが、と同時に、世界各国に災害地域や、綺麗な水が飲めない地域もあるわけです。なので、そのようなところでの水再生技術にもつながります。実際に安全な水を世界に供給するという観点から、ＳＤＧｓの６番「安全な水とトイレ」に寄与できる具体例になると思います。

――宇宙での水の再生実験と聞くと、将来の月探査とか火星探査のためとばかり思っていたのですが、若田さんの説明で「宇宙開発って地球開発にもつながっているんだな」と感動しました。

若田　おっしゃるとおり、色々な点で宇宙開発っていうのは、地球の持続的発展に不可欠なものだと思います。宇宙から地球を俯瞰することによって、地球の環境を守るための新しい知見も得られます。人工衛星に積まれた天気予報や気候変動モニターのための各種センサーなどを使うのですが、宇宙から〝人工の目（計測装置による見守り）〟で地球を見ることで、地球環境を保全することにも寄与できているのかなと思います。

17番の「パートナーシップで目標達成」についても、ISSというのは、世界の国々が協力して人類の活動域を広げていくための仕事をしている場所です。持続可能な開発の象徴的な存在だと思います。

公人として、一個人としてのアクション

——次の質問ですが、若田さんには宇宙飛行士というある意味「公人」としての立場と、もちろん一個人としての立場があります。それぞれで、SDGsに対してどのようにアクションしたい、あるいはすべきだと考えていますか。

若田　公人というかJAXAの職員として、宇宙のアセット（資産）を使って——これは人工衛星や、これまでに申し上げたような宇宙ステーションを通じてのSDGsへの貢献といった様々な分野がありますが——、宇宙を活かして地球上の生活を豊かにするために、その地球環境を守るために努めていくことが、まず公人としてのアクションだと思っています。JAXAが持っている技術を活かして、この部分に貢献していくことが我々に求められることですので、私も仕事として行っていきたいです。

——個人としてはいかがですか。

若田　1人ができる力というのはそんなに大きくはないですが、それをみんながやることによって大きな成果につながっていくと思っています。

排出物を少なくする、プラスチック製品をなるべく少なくするとか。日常の生活でのちょっとした努力が大きな環境保護につながっていくと思うので、大きなことはできないですが、小さな努力を一個人として続けていきたいです。

地球は大きな宇宙船

――若田さんは宇宙飛行士になる前となった後では、地球と人との共存共栄に対する考えは変わりましたか。「こんなことを意識するようになった」というエピソードがあったら、教えてください。

若田　地球って、やっぱり非常に美しいですよね。

宇宙から見ると、圧倒的な美しさを放っていますけれども、地球の環境がどれだけ壊れているのかというのは、たとえばアマゾン地域の森林の伐採を見ると、やはり人間の活動が地球環境に大きく影響を与えていると感じることはよくありました。

それで、ふと自分の宇宙船（ＩＳＳ）を見てみると、二酸化炭素除去装置が壊れたり、トイレが壊れたり、酸素製造装置が壊れてしまうとかが結構あるんですよね。そういう時は、修理するのがもう最優先で、我々は宇宙船の中で、色々なメンテナンス作業や修理作業を行っていました。「いかに人間が安全に生活していくのは難しいか」というのを、宇宙船の環境制御システムの故障を直しながら感じたんですよね。

そういう経験をしながら地球を振り返って見てみると、「宇宙船地球号」という言葉もありますが、やはり地球が本当に大きな宇宙船みたいに感じたんです。僕たちが宇宙ステーションのシステムの保全のために努力していることは、ちょっとでも壊れたらすぐに死に至るようなものだけれども、地球は大きいから我々はちょっと楽観視していたのかな、と思うんです。

地球も同じように宇宙船であって、その二酸化炭素状況や温度コントロールのシステムが破壊されれば、人類の存亡に大きな影響を与えてきます。地球が本当に生きているシステム、とでも言うのでしょうか、大きな宇宙船だというイメージを持ちました。

これは宇宙に行って、地球の環境を守っていくことの難しさとか、それをみんなが協力してやらなければいけないっていうようなことを、実地体験を通して感じました。

――宇宙飛行士の若田さんでないとお話しできない、重い言葉だと思います。私たちにも、そのような視点を共有していただけて嬉しいです。

地球人の宇宙に対するSDGs

——地球人が宇宙に対して行うべきSDGs、つまり宇宙環境を守りながら開発するにはどうしたらよいのかについて伺います。若田さんは、96年の初飛行でミッションスペシャリストとしてスペースシャトルに搭乗された時に、SFU（宇宙実験・観測フリーフライヤー）の回収という、いわば宇宙の清掃作業をされました。今後運用を終えた人工衛星がますます増え、廃棄と回収が問題になります。地球人が宇宙を綺麗に使うために、この先、地球だけでなく宇宙の環境を守るために、どんなことをしたらよいでしょうか。

若田　非常に重要で難しい課題ですが、宇宙を浮遊しているものは我々が宇宙で活動していく時の大きなリスクなんです。（宇宙ゴミとなった）人工衛星に衝突することによって、必要な人工衛星が機能しなくなる可能性があって、そういうことが実際に起きています。

私が96年に（初めて）宇宙に行った時も、軌道上に使われなくなった人工衛星があり、それを回避するために打ち上げが20分ぐらい遅れたことがありました。

今回のフライトでは、宇宙デブリ（宇宙ゴミ：意味のある活動をせずに地球軌道上を周回している人工物。使用済みの人工衛星、ロケットや破片など）を避けるために、4回も噴射で軌道を変えているんです。デブリの衝突の可能性のあった12回準備をして、そのうち4回、実際に噴射しました。さらに、近づく宇宙デブリの位置情報が明確には分からなかったので、噴射をしてISSの軌道を変える余裕がなくなって、乗ってきた宇宙船（クルードラゴン）に全員が逃げ込んで、ハッチを閉めて退避をすることもありました。

毎回宇宙に行くたびに、このような宇宙デブリに対応するためのアクションは増えていて、今回は軌道修正噴射の件も含めて、特に「デブリが増えているな」と実感しました。

宇宙ゴミ処理は日本がリードできる、リードすべき分野

——地球観測、GPS、通信などには、地球軌道の利用は不可欠です。私たちが地球軌道を持続的に使っていくためには、どのような工夫が必要でしょうか。

若田　宇宙ゴミの防止と状況把握が非常に重要です。JAXAも、望遠鏡やレーダーを使って、SSA（Space Situational Awareness：宇宙状況把握）という地上から宇宙の状況を確認する取り組みをしてます。また、宇宙デブリの除去についても、JAXAは研究開発を通して技術を培ってきました。近年は、アストロスケールさんのような民間企業がデブリ除去をする活動にJAXAも協力しています。

こういった活動は、やはり日本がリードしていける、いくべき分野かと思います。地球軌道を安定的に持続的に使っていくためのデブリ防止、デブリ除去で、日本は大きく貢献できるのではないかと思っていますし、期待をしています。

宇宙をより身近に——今はその準備期間

——宇宙に憧れはあるけれど、身近には感じられないという一般の方も多いと思います。宇宙飛行士という特別な存在ではなくても、私たちが「宇宙から地球を守る」「地球人が宇宙を守る」という視点を持つために、できることはあるでしょうか。

若田　私は宇宙に行くという非常に貴重な経験をさせてもらい、もっともっと多くの皆さんが、実際に宇宙に行って、美しい地球を見ながら環境のことを考えてくださる機会が増えていくことを望んでます。だから今は、我々でそのための準備をしている期間だというふうに思っているんです。

やはり、宇宙に行くにはまだ危険もありますし、非常にコストもかかります。民間企業も参入して、今、宇宙観光旅行というのが始まりました。宇宙へのアクセスの手段がより多く確保されることによって、宇宙旅行というのがより身近になってくると思います。

20世紀の初頭にライト兄弟が飛行機を発明してから、この100年で多くの人たちが航空機に乗って、遠くの色々な場所に行ける時代になりました。宇宙へ行くアクセスの手段が増えてくれば、コストが下がってきて、もっと多くの方が宇宙に行けるはずですし、私もそうなるように尽力したいなと思っています。

——宇宙旅行が一般的になるまでは、私たちはどのように宇宙を体験できるでしょうか。

若田　実際に宇宙に行かなくても、ソーシャルメディアを通して、我々も色々なことを発信しています。ＪＡＸＡのホームページやツイッター（現在は「Ｘ」）で宇宙での色々な出来事を紹介したり、リアルタイムで宇宙から地球を見る映像を共有したりすることができる時代になっています。

　アバターの技術のように、実際に宇宙にいるような模擬体験ができるテクノロジーも開発されてきました。様々な方法を提供していますので、宇宙を身近に感じていただけたらなと思っています。

宇宙生活を快適にする技術が地球上でも役立つ

——「軌道上での活動成果」の報告会では、宇宙飛行士が使う歯磨き粉を、地上の一般企業が「水をいかに使わなくて済ませるか」と研究して実用化したと伺いました。私たちの宇宙進出のために、危険にさらされながら開発の最前線に立たれている宇宙飛行士に対して、一般人も貢献できると知りました。

若田　そうなんです。宇宙では水がすごく貴重です。日本人は、平均すると１日に３００ℓくらい水を使うそうです。風呂に入りますからね。

けれど宇宙では、我々が使えるのは1人3ℓぐらいです。水は飲まなきゃ死んでしまうので、体重によって飲まなきゃいけない水の量があります。大体2・5ℓぐらいで、私は2・4ℓぐらいです。3ℓのうち飲み水の残りが500cc（0・5ℓ）ぐらいで、それで歯を磨いたり顔を洗ったり、すべてしなきゃいけないんです。500ccで生活するって、結構、大変ですよね。

——歯磨きだけでも、半分くらい使ってしまいそうです。

若田　でも、節約生活のための技術がたくさんあるんです。たとえば、シャンプーは以前は頭を洗った後にぬぐうだけだったんですけれど、シャンプーが残ってしまったりで、あまり快適じゃないこともありました。けれど、日本のメーカーが作ってくださった洗髪シートは、すごく心地よい、すきっとするような使用感でした。

宇宙船ではアルコールを使えないので、メーカーがアルコールでなくてもすきっとするような材料を開発してくれたんです。これで頭を拭いたり顔をぬぐったりすると、ほとんど水がなくても快適な生活ができました。これまで宇宙とは直接関係のなかったメーカーの技術で、宇宙生活が快適になりました。今後は、もっともっと多くの企業が、宇宙の水が使えない環境で役に立つものを作ってくださるんじゃないかなと思って、期待しています。

でもそういうのって、地球上でも災害時だとか水が豊富に使えないような地域とかでも役に立つ技術なのかな、とも思います。

——そう考えると、宇宙に直接行かないとしても、私たちにとって意外と宇宙って身近なのかもしれませんね。宇宙生活を快適にするために開発された技術が、巡り巡って地球に帰ってきてSDGsに貢献するというところも、とても面白く感じます。

若田　そういう視点は非常に重要だと思います。

私とかがきちんと伝えていくべきで、なかなか十分にはできてはいませんが、宇宙を本当に身近に感じていただけるように、今みたいな生活用品の観点からお話しすることは大切です。

国際宇宙ステーションは「パートナーシップで目標を達成する」の象徴

——最後になりますが、若田さんがこれまでに宇宙のミッションで掲げられてきた「和のリーダーシップ」をSDGsに活かすとしたら、どのようにしたらよいでしょうか？

若田　ＳＤＧｓの17番は「パートナーシップで目標を達成する」ですが、国際協力をするっていうのは難しいですよね。特に地政学的な様々な状況があったりすると難しいんですけれども、より安定した平和な世界を築くことに、国際宇宙ステーションは協力・貢献できているのかなと思います。（筆者注：若田氏が参加した第68次ＩＳＳ長期滞在には、ＮＡＳＡとロシアの宇宙飛行士も参加

していた）

我々宇宙飛行士に求められていることは、色々なトラブルに遭遇しても、チームの力で解決すること。チームというのは軌道上の宇宙飛行士だけでなく、筑波宇宙センターや世界各国の地上管制局なども含めたもので、この連携があって初めて、安全や実験の成果が得られます。常に相手の立場になって、大きなチームのそれぞれを思いやりながら、意思疎通、コミュニケーションをしっかりとって、計画を進めていくということが大切です。パートナーシップでは「和」、つまり「ハーモニー」の気持ちというのを大切にして、国際協力を進めました。

特に今回のISS滞在では、想定外のトラブルがたくさんありましたが、そのような時こそチームの力というのがすごく大きな影響を与えました。チームの結束力があったから今回も無事に全員が生還できて、しかも同時に色々な成果を上げることができました。

宇宙開発において、アジア唯一のISSの参加国である日本が果たしていく役割は大きいと思いますし、ISSで我々が培った信頼というのは、次の月探査にも大きく発展させていく必要があります。今後は、これまでに経験させてもらったことを活かして、月探査にも貢献したいと思っています。

「最悪シナリオ」を検討
太陽フレア対策に日本政府も本腰

【ポイント】

- **大規模な太陽フレアは、通信障害や電力トラブルを引き起こす可能性がある**
- **太陽活動が活発になると、大規模な太陽フレアも起きやすくなる**
- **2025年の太陽活動ピークに備えて、日本政府も「最悪シナリオ」の検討を始めた**

政府が太陽フレアの悪影響に注目

日本の気象観測や天気予報に大きな役割を果たしている気象衛星「ひまわり」。1977年7月に打ち上げられた「ひまわり（1号）」以後、2022年12月13日午後2時から運用開始された最新の「ひまわり9号」までは地球の天気を監視し、災害対策に役立ててきました。けれど、これからの災害対策は、宇宙の監視も強める必要があるかもしれません。

政府は、太陽の表面で起きる爆発現象「太陽フレア」を日本独自で観測して「宇宙天気予報」に役立てるために、28年度にも打ち上げる「ひまわり9号の後継気象衛星」に観測センサーを搭載する方針を固めました。

太陽活動は約11年周期で活発になります。活発な時期には、太陽表面で巨大な爆発現象が起きやすくなり、地球にも広範囲な通信障害や停電などの影響を及ぼす可能性があります。現在は、総務省所管の「情報通信研究機構（NICT）」がアメリカの衛星観測データなどを使って、太陽フレアの状況を含む宇宙天気予報を毎日発表しています。

太陽活動の次のピークは25年と見られています。22年、総務省の有識者会議は初めて太陽フレアの影響の「最悪シナリオ」を検討しました。研究者たちも、宇宙天気予報の精度を高める方策を、これまで以上に熱心に議論するようになりました。

太陽フレアのこれまでの観測史と、今後の対策について概観してみましょう。

3段階で起きる地球への影響

太陽フレアは太陽の黒点の周りで起きる爆発で、太陽活動が活発でない時期でも毎日数回は小規模なものが観測されています。発生すると黒点の周囲に明るい部分が出現し、短い時は数分間、長い時は数時間続きます。サイズは1万～10万km、エネルギーは水爆に換算して10万～

1億個分とされています。この現象を初めて観測したのは、イギリスの天文学者リチャード・キャリントンで、1859年のことです。当時は「1859年の太陽嵐」と呼ばれる現象が起きていて、過去最大級に太陽活動が活発でした。江戸時代の日本でも、現在の青森県や和歌山県でオーロラが見られたという記録が残っています。

大規模な太陽フレアが引き起こす地球への悪影響は、到達する電磁波や物質によって、①8分後、②30分～2日後、③2～3日後の3段階に分けて考えられます。

第1段階は、光の速さで地球に届くものによる影響です。太陽フレアの観測と同時に、X線や紫外線などの強い電磁波によって、特に昼間側の地域で短波通信に障害が起きやすくなります。すると、携帯電話や放送、防災無線などの利用に影響するおそれがあります。さらに、カーナビなどのGPS（衛星測位システム）の精度が落ちたり、空港管制レーダーにも不具合が現れ始めたりもします。

第2段階は、高エネルギー粒子が地球に到達することによって、特に極地域に悪影響が見られます。人工衛星の内部回路が故障するリスクや、ISS（国際宇宙ステーション）の宇宙飛行士や航空機に乗っている人たちが通常よりも多く放射線を浴びる可能性が高まります。

第3段階は、CME（コロナ質量放出）の影響が全地球規模で現れます。CMEは、太陽から惑星間空間にプラズマの塊が放出される現象です。プラズマは電気を帯びたガスで、太陽から秒速1000km近いスピードで飛び出すこともあります。地球を直撃すると大災害になるおそれがあり、直撃しなくても人工衛星が帯電することで軌道に影響を受けたり、地上の送電線に影響して電力供給にトラブルが起きたりする可能性があります。

大規模な太陽フレアの発生により、89年3月にはカナダで約9時間にわたる大規模停電が発生し、約600万人に影響が出ました。22年2月には太陽フレアによって発生した「磁気嵐」の影響で、実業家イーロン・マスク氏が率いる宇宙企業・スペースX社が打ち上げた人工衛星49基のうち40基が機能を喪失し、大気圏に突入しました。

レーダーの精度は低下、通信・電力のトラブルも

22年6月に総務省の「宇宙天気予報の高度化の在り方に関する検討会」が公表した報告書では、100年に1回の頻度で起きるとされる大規模な太陽フレアが2週間連続で発生する「最悪シナリオ」を想定して、悪影響を考察しています。日本において、ある自然災害に対して多面的に長期間にわたって最悪シナリオを策定する試みは初めてとのことです。

通信や放送は2週間、断続的に不通となります。個人では携帯電話での通話やネット接続が使用し難い状況になるだけでなく、110番や119番などの緊急通報が全国的につながりにくくなると言います。防災無線や船舶無線にも影響し、災害や遭難事故での救助要請が困難に

なります。

人工衛星関連では、GPSや天気予報の精度が低下し、特に位置情報には最大数十mのずれが生じて、カーナビや地図アプリ、自動運転にも大きな影響が出る可能性があると推定されます。とりわけ航空機では、衛星測位や航空管制レーダーの精度が低下するため、世界的に運航の見合わせや減便が予想されます。さらに運航できたとしても、高緯度や高高度を通ると増加した放射線による被曝リスクが高まるため、迂回ルートを通らざるを得なくなり、時間や燃料のロスが増加すると言います。

電力設備では、保護装置の誤作動が起きたり、変圧器が過熱によって壊れたりするため、広域停電のおそれがあります。同報告書は、電力供給の途絶や逼迫によって、社会経済や全産業が広範囲に影響を受けると指摘しています。

自然災害に対しては、発生を止めたり事象自体を軽減させたりすることは、ほぼ不可能です。太陽フレアについても、政府は「予報の精度の向上」と「認知度のアップと発生時の周知」によって、被害に対する準備と軽減を目指しています。

新たな自然災害への対応策

日本独自の太陽フレア観測センサーは21年より開発されています。「ひまわり8号、9号の後継機（ひまわり10号）」の製造も23年3月に気象庁から三菱電機株式会社が受注しました。新たな気象衛星は、地球と宇宙の天気を同時に観測する見込みです。

また、大規模太陽フレアによる被害は、産業界や一般市民には未だにリスクとして十分に認知されていないのが実情です。

宇宙天気予報は専門用語が多いため、太陽活動や宇宙空間の諸現象は、一般向けに分かりやすい言葉にする必要があります。総務省は「太陽フレアに関する警報制度」を創設し、通信、電力、放送など各分野に基準を設けて「通常」「注意報」「警報」などの形で情報発信を始める方針を固めました。さらに、NICTに「宇宙天気予報オペレーションセンター（仮称）」を設置したり、「宇宙天気予報士」制度を創設したりすることも視野に入れています。

太陽フレアの脅威は、20世紀後半以降に宇宙や放射線、素粒子物理学に関する研究や科学技術が進んだことで意識されるようになりました。その後、人類が大規模な電力網を築いたり、人工衛星を使って通信や測位システムを発展させたりしたことで問題化した、新たな自然災害と言えるでしょう。

日本は世界有数の防災対策国です。宇宙環境も視野に入れた防災政策でも、国際的にリードする立場になることを期待しましょう。

アポロ計画に果たせず、アルテミス計画に期待されること

【ポイント】
・アポロ計画以来、約50年ぶりとなる有人月面探査プロジェクトが2022年に開始した
・アルテミス1は成功したが、搭載された日本の小型探査機の一部のミッションは失敗した
・アルテミス計画の目標は月面に探査拠点を作ることで、人類の太陽系進出にも寄与する

アルテミス計画がついに発動

米航空宇宙局（NASA）は現在、「アルテミス計画」に取り組んでいます。この計画は、NASAが主導し、欧州宇宙機関（ESA）、宇宙航空研究開発機構（JAXA）、カナダ宇宙庁（CSA）、オーストラリア宇宙庁（ASA）などが参加する有人月面探査の国際プロジェクトです。

最初のミッションである「アルテミス1」のロケット打ち上げは、もともと2020年に計

画されていました。技術的な問題や天候不順などで何度も延期した後、22年11月16日15時47分(日本時間)にＮＡＳＡの新型ロケット「スペース・ローンチ・システム（ＳＬＳ）」の初号機が米・フロリダ州のケネディ宇宙センターから打ち上げられて成功しました。ＳＬＳには宇宙船「オリオン（Orion）」が搭載されており、今回は無人飛行で月周回軌道に投入されました。オリオンは約６日間かけて月を周回した後、12月12日午前2時40分頃(日本時間)に太平洋メキシコ沖に着水し、米海軍の揚陸艦「ＵＳＳポートランド」によって無事回収されました。

アルテミスとは、ギリシア神話に登場する月の女神の名前です。１９６９年から１９７２年にかけて計６回の有人月面着陸に成功した「アポロ計画」の由来である太陽神アポロンと双子とされています。当初の計画では、２０２４年までに「最初の女性を、(アポロ計画以来の)次の男性を」月面に着陸させる予定でした。

アルテミス計画と月面探査について、概観しましょう。

スペースシャトルの後継

17年12月、ドナルド・トランプ米大統領(当時)は、月探査計画を承認する宇宙政策指令第1号に署名しました。それを受けて、19年5月にアルテミス計画の詳細が発表されました。

当初は20年に「アルテミス１」で月の無人周回飛行、22年に「アルテミス２」で有人周回飛行を実施。24年に「アルテミス3」で、初の女性飛行士を含む有人月面着陸を行うというスケジュールでした。現在は全体的に2年ほど計画が先送りになっていますが、急ピッチで遅れを取り戻そうとしています。そのため、宇宙開発の研究者からは「最近、少し急ぎすぎているのではないか」と懸念の声も上がっています。

アルテミス計画が前のめりになる理由の一つとして考えられるのは、近年の月探査におけるアジアの台頭です。中国は13年に月面着陸に成功すると、19年には世界で初めて月の裏側に着陸。20年には、中国初のサンプルリターンに成功しました。23年8月には、インドが月面への軟着陸に成功しました。アメリカは月探査のパイオニアとして負けられないと、焦りがあるのかもしれません。

最新の計画では、アルテミス1で無人状態での月飛行の安全性が確認されれば、24年にアルテミス2、25年以降にアルテミス3が実施される予定です。アルテミス3の前に、民間宇宙開発企業によって月周回軌道上に小型宇宙ステーション「ゲートウェイ(Gateway)」を設置して、月面着陸に臨む宇宙飛行士らの拠点にする計画もあります。

アルテミス1で打ち上げられたＳＬＳは、81年から11年まで１３５回打ち上げられて退役したスペースシャトルの後継機の位置付けです。宇宙飛行士と探査船などの装置を目的地へ運ぶ役割を果たします。直径８・４ｍの２段ロケットで、最大で１３０ｔ《トン》を積載することが可能です。SLS初号機に搭載されたオリオンは、アルテミス2では4名のミッションクルーが搭乗して月を周回し、アルテミス3でも有人着陸システム（HLS）を支援します。

日本の小型探査機も参加

SLS初号機には、日本の「OMOTENASHI《オモテナシ》」や「EQUULEUS《エクレウス》」など10機の小型探査機も相乗りしていました。

OMOTENASHIはJAXAが開発した世界最小の月面着陸機です。合計サイズは12㎝×24㎝×37㎝、質量は12・6㎏で、「Outstanding MOon exploration TEchnologies demonstrated by NAno Semi-Hard Impactor」の頭文字から名付けられました。

SLS初号機から分離されて4〜5日で月に着陸し、この間に地球と月の間の放射線環境を計測する予定でしたが、分離後にOMOTENASHIに搭載された太陽電池に太陽光が当たらず電力を喪失してしまい、月面着陸ができなくなりました。

EQUULEUSは東京大学の中須賀・船瀬研究室（ISSL）とJAXAが開発した深宇宙探査機です。「EQUilibriUm Lunar-Earth point 6U Spacecraft」の略称で、約10㎝×20㎝×30㎝のユニットに、3つの観測機器を搭載しています。

プラズマ撮像装置（PHOENIX《フェニックス》）は、地球の磁気圏プラズマの全体像を紫外光で撮像。閃光撮像カメラ（ＤＥＬＰＨＩＮＵＳ《デルフィヌス》）は、月の裏面に衝突する小隕石が発する一瞬の光を検知して、月面に降り注ぐ小隕石のサイズや頻度を評価できます。これによって、将来の月面での有人活動や建設に対する脅威を見積もります。ダスト計測器（ＣＬＯＴＨ《クロース》）は、地球から月軌道周辺までの空間における塵の粒径、分布を測定して、ダスト環境を評価します。

地球－月系のラグランジュ点Ｌ２（ＥＭＬ２、地球からの距離約45万㎞）まで飛行する計画で、11月22日に、計画どおりの軌道に投入されたことが確認されました。今後は、約1年半かけて目標のＥＭＬ２まで飛行します。

ＯＭＯＴＥＮＡＳＨＩは残念な結果でしたが、超小型で低コストの探査機の活躍が示されることで宇宙探査へのハードルが下がり、民間の参入を後押しすると期待されています。

アポロ計画の功績と課題

61年に始まったアポロ計画は、アメリカとソビエト連邦（当時）の冷戦下における国家の威信をかけた宇宙開発競争の位置付けでした。同年5月、ジョン・Ｆ・ケネディ米大統領は「１９６０年代中に人間を月に到達させる」と声明を出しました。

「月面にアメリカ国旗を立てる」ことが最大の任務で、69年7月のアポロ11号が史上初の月面着陸に成功。ニール・アームストロング船長が人類で初めて月を歩行しました。

アポロ宇宙船は3人乗りで、月面に降りるのは2人乗りの着陸船でした。月着陸はアポロ11号から17号まで試みられ、13号以外は成功しました。つまり、歴史上、月を歩いたことがある人は、2人×6回の12人です。

ちなみに、着陸できなかった13号は月に向かう途中で機械船の酸素タンクが爆発したため、電力、水、酸素が不足する危機的な状況になりました。けれど、乗組員とジョンソン宇宙センター（JSC）のスタッフが一丸となって問題解決に取り組み、着陸船に一時的に避難するなどの工夫をして、全員無事に地球に帰還できました。そのため「成功した失敗（successful failure)」とも評され、書籍や映画にもなりました。

さらなる月探査のため宇宙飛行士も訓練

アポロ計画は、遠隔通信、電子工学、コンピューター技術など、多岐にわたる分野で飛躍的な発展のきっかけとなり、現代の科学技術の礎を築きました。けれど、着陸地点は月の赤道に比較的近い場所に偏っており、広範囲は探査できていません。

NASAは22年8月に、アルテミス計画で史上13人目、14人目の月面歩行者が降り立つ候補地となる13カ所を発表しました。氷がある場所、発電に有利な日向《ひなた》、傾斜や地球との交信のしやすさなどが考慮されています。打ち上げ時期によって着陸可能な場所は変わりますが、南極付近が多く選ばれました。

現在、20年12月に選ばれた18人の宇宙飛行士（男性９人、女性９人）は、ＪＳＣの「無重量環境訓練施設（ＮＢＬ）」と呼ばれる巨大プールで訓練を進めています。全長約60ｍ、幅約30ｍ、深さ約12ｍのプールの底には月面環境が再現されており、模造岩などが配置されています。着陸地点として想定されている月の南極域は、太陽が地平線上にはほとんど現れないため、常に暗く視界が悪い場所です。宇宙飛行士たちは仮想現実（ＶＲ）ヘッドセットを装着して、プール内で暗闇を想定した歩行訓練を行っています。訓練は、最大6時間続く場合もあるそうです。

日本でも、ＪＡＸＡは21年12月から「アルテミス計画」を見据えた宇宙飛行士候補を募集しました。23年2月には、過去最高の４１２７名の応募者から諏訪《すわ》理《まこと》氏、米田《よねだ》あゆ氏の２名の新しい宇宙飛行士候補が選ばれました。日本人宇宙飛行士が月面着陸する姿が、近い将来に見られるかもしれません。

火星の有人着陸へのステップ

着陸そのものが目的だったアポロ計画と異なり、アルテミス計画のゴールは探査拠点を月面に作ることです。月面には滞在施設を建設し、人が常駐して持続的に広範囲に探査できるようにします。月の周回軌道上には宇宙ステーションも作る予定です。

これらの施設によって、月そのものの調査から太陽系の歴史に迫るほか、宇宙で暮らすための技術や人体への影響に関する知見を収集して、人類が太陽系に進出するための技術を開発します。

アルテミス1では、宇宙船オリオンに人の代わりとしてマネキンが搭乗しました。船内から回収された3体のマネキンのうち船長役の「Campos《カンポス》」は、NASAのジョンソン宇宙センターで、取り付けられたセンサーや計測器のデータをもとに飛行中の加速度や振動などの分析が予定されています。また、搭乗員役の「Helga《ヘルガ》」と「Zohar《ゾーハ》」は取り付けられていた放射能検出器をドイツ航空宇宙センター（DLR）に送り、放射能遮断ベスト「AstroRad《アストロラッド》」の性能を評価するといいます。

アルテミス計画は、火星の有人着陸を実現させる大きなステップとなることも期待されています。NASAと中国は、30年代での実現を目標に掲げています。火星への有人飛行は1～3年と長期間になり、運ばなければならない物資量も膨大になることがネックですが、月での開発成果がブレークスルーになるかもしれません。

中国が月の新鉱物「嫦娥石」を発見

【ポイント】

・月から石を持ち帰った国は、2023年8月現在、アメリカ、旧ソ連、中国だけである

・月の石は数十億年前の状態がよく保存されており、科学的な意義がある

・日本も参画している「アルテミス計画」は、月の石の持ち帰りも期待されている

中国が初めて月の石を持ち帰る

中国国家航天局と国家原子力機構は2022年9月、月無人探査機「嫦娥《じょうが》5号」が20年12月に月面から持ち帰った土壌から見つかった鉱物が、新種と認定されたと発表しました。中国が月から新鉱物を発見するのは初めてで、アメリカのアポロ計画、旧ソ連のルナ計画で見つかったものに続いて3カ国目となりました。

新鉱物は「嫦娥石（Changesite）」と名付けられました。03年より開始された中国の月探査プロジェクト「嫦娥計画」の由来ともなった、中国神話で月に住むとされる仙女に因んでいます。

鉱物が新種と認定される手順と、「月の石」の歴史を概観しましょう。

新鉱物の認定プロセスと名付け方

鉱物は、大雑把に言えば「1種類だけでできている石」のことです。自然界に存在する物質のうち地質作用で作られたもので、ほぼ一定の化学組成と結晶構造を持つ無生命の均一物質を指します。現在5000種以上が知られており、今でも毎年数種の新鉱物が発見されています。ちなみに一般に見られる「石ころ」は、通常は複数の種類の鉱物でできていて「岩石」と呼ばれます。

新鉱物として認められるには、国際鉱物学連合（IMA）の新鉱物・命名・分類委員会（CNMNC）に申請を行い、審査を通過する必要があります。

申請のためには、その鉱物の産状、化学組成、結晶構造などを詳細に分析し、名称案と共に書面にして提出しなければなりません。申請書の内容は、世界各地から選ばれた約40名の鉱物学者が2カ月程かけて厳しい審査をします。最終的に、過半数の委員が参加した投票で3分の2以上の賛成を得られると、新鉱物として認定されます。

新鉱物の名前は、多くの場合は申請者（分析して新鉱物と確信した人）の名前に因んで付けられるのではなく、過去の著名な鉱物学者や申請者の恩師、最初に見つかった場所の地名に由来します。たとえば、１９７４年に新鉱物として認定された「杉石（Sugilite）」は、山口大学名誉教授の村上允英博士らが分析に成功してＩＭＡに申請しましたが、名前は恩師の杉健一博士の名前に因んで鉱物名を付けました。「鉱物学者の夢の一つは、優秀な弟子を育てて新鉱物に自分の名前を付けてもらうこと」などと語られることもあります。

嫦娥石の発表とほぼ同時に、日本でも新鉱物認定のニュースがありました。東京大学物性研究所はアマチュア鉱物研究家と共同して、北海道で産出する「砂白金」から白金と銅を主成分とする新種を発見しました。名前は発見地にちなんで「苫前鉱《とままえこう》（Tomamaeite）」と付けられました。

月試料の科学的意義

嫦娥5号は、月の土壌試料を１７３１g持ち帰りました。中核集団核工業北京地質研究院のイノベーションチームは、約14万個の粒子の中から約10μm《マイクロメートル》の嫦娥石の分離と結晶構造の解析に成功しました。嫦娥石は月の玄武岩から見つかり、柱状結晶でした。化学組成から見るとリン酸塩鉱物の一種で、カルシウムやイットリウム、鉄を含んでいました。

月面で見つかった石、月から飛来したと考えられる石は「月の石（lunar rock）」と総称されています。これまでに人類が手にした月の石には、①アポロ計画で持ち帰ったもの、②ルナ計画で持ち帰ったもの、③嫦娥5号が持ち帰ったもの、④隕石として地球に落下したものがあります。

①から③の月面試料は、ロマンや達成感のために採取したわけではありません。地球では大気や水、地殻活動によって見えにくくなっている数十億年前の状態がよく保存されており、月試料を分析すると太陽系初期の状態を知ることができるという科学的な意義があります。

44年ぶりの持ち帰り成功

月の石を初めて持ち帰ったのは人類初の月着陸に成功したアポロ11号で、69年7月のことです。月を歩行した2人の宇宙飛行士、アームストロングとオルドリンによって、20kg以上が採取されました。アポロ計画では17号までの計6回（アポロ13号は月着陸を断念）で月の石を採取し、総重量で382kgにもなりました。

月で見つかった新鉱物のうち、3種はアポロ11号が持ち帰った試料から分離されています。アーマルコライト（armalcolite）は、チタンが豊富な酸化鉱物です。月面の「静かの基地（アポロ11号の着陸地点）」で採取された試料から見つかった鉱物で、乗船していたアームストロング

(Armstrong)、オルドリン(Aldrin)、コリンズ(Collins、月着陸せずに司令船の操縦をしていた)の3名の宇宙飛行士にちなんで命名されました。その他、ジルコニウムやチタンを含むケイ酸塩鉱物のトランキリティアイト(Tranquillityite)、鉄とカルシウムを含むケイ酸塩鉱物のパイロクスフェロアイト(Pyroxferroite)も同時に見つかりました。

次に月の石を持ち帰ったのは、ルナ計画の無人探査機ルナ16号(70年9月)です。同20号、24号でも月の土壌を載せたカプセルが地球に無事帰還し、3機で301gのサンプルリターンに成功しました。

月で見つかった新鉱物として、アポロ14号の着陸地点から採取された酸化灰ベタフォ石(oxycalciobetafite)や、ルナ24号の着陸地点から採取された酸化ウラノベタフォ石(oxyuranobetafite)の名前が挙がることもあります。けれど、化学組成のみで結晶構造が不確定なため、新種とは認められないという考えが主流です。

今回の嫦娥5号の月の石は、ルナ24号(76年)以来44年ぶりの持ち帰り成功でした。

日本と月の石の関わり

月以外の天体で着陸しての試料持ち帰りは、日本の探査機「はやぶさ」が10年6月に小惑星イトカワで成功しています。さらに20年12月にも、「はやぶさ2」が小惑星リュウグウで成功しました。

残念ながら、日本は月の石の持ち帰り成功国には名を連ねていません。日本の月探査は、07年に「かぐや」が周回調査に成功しています。22年11月に1号機が打ち上げられた有人月探査プロジェクト「アルテミス計画」には、日本も参画しています。早ければ25年にも月着陸と試料持ち帰りが行われる予定です。

日本と月の石の関わりと言えば、70年の大阪万博で展示されたことが有名です。約6400万人が来場した同イベントでは、アポロ12号が69年11月に持ち帰った約1kgの月の石の実物を一目見ようと、アメリカ館には毎日数時間待ちの列が形成されました。

2023年8月現在、日本では国立科学博物館（東京）にアポロ11号と17号が採取した月の石、スペースLABO（北九州市科学館）にアポロ12号が採取した月の石が常設展示されています。月関係のニュースが増えている昨今、月の一部の実物を見れば、もっと身近に感じられるかもしれません。近くを訪れた際は、足を運んでみてはいかがでしょうか。

発見された太陽系外惑星は5000個超

【ポイント】
- 太陽系外惑星は、過去30年間で5000個以上が確認されている
- 2019年に発見されたティーガーデン星bは、地球類似指数が0・95である
- 観測後、確認待ちの状態にある太陽系外惑星も、5000個以上ある

2022年に5000個を突破

アメリカ航空宇宙局（NASA）は2022年3月21日に「太陽系外惑星アーカイブ」を更新し、65個を新たに追加しました。これをもって、アーカイブに記録された太陽系外惑星は5000個の大台に達しました。

太陽系外惑星アーカイブは、査読付きの学術論文で確認された惑星を掲載しています。見つ

かった5000個の惑星のうち、4900個は地球から数千光年以内にあるものです。銀河系の中心は、地球から見て射手座の方向に3万光年離れた場所にあります。なので「銀河系内にはまだ見つかっていない惑星が数千億個あるはずだ」と、アーカイブで中心的な役割を担っている米カリフォルニア工科大学NASA太陽系外惑星科学研究所のジェシー・クリスチャンセンさんは語っています。

23年8月現在、見つかった太陽系外惑星はさらに増加し、約5500個に達しています。発見の歴史と探査の目的を概観してみましょう。

1990年代に初めて科学的な観測で発見

太陽系外惑星は古くからSFの題材になってきました。1966年にテレビドラマとして始まった『スター・トレック』シリーズでは、地球の統一政府である「地球連合」が太陽系外惑星に住む異星人とともに「惑星連邦」を組織しています。日本語訳が2019年に出版されるとたちまちベストセラーになった中国のSF作家・劉慈欣《リウツーシン》による『三体』(早川書房)では、地球に最も近い恒星で太陽系から4・3光年しか離れていないケンタウルス座アルファ星系の惑星に高度文明が存在するという設定です。

けれど、科学的な観測によって太陽系外惑星が確証を持って実際に発見されたのは、たかだか約30年前の1990年代のことです。1992年にパルサー（中性子星）の周囲を回る地球程度の質量の天体が見つかると、95年にはジュネーヴ大学のミシェル・マイヨール博士とディディエ・ケロー博士がドップラー法を使ってペガスス座51番星の周りを4・2日で公転する惑星を発見しました。ペガスス座51番星bと呼ばれるこの惑星は木星の半分ほどの質量を持っています。マイヨール博士とケロー博士はこの功績により2019年にノーベル物理学賞を受賞しました。

太陽系外惑星の観測が始まった当初は、木星（地球の318倍の質量）の数分の1以下の惑星は見つけることができませんでしたが、徐々に海王星サイズ（地球の17倍の質量）やスーパーアース（地球の数倍~10倍程度の質量）と呼ばれる巨大な地球型惑星も検出できるようになりました。近年は、月の2倍程度の質量（地球の約40分の1の質量）の惑星も発見されています。

惑星も恒星も、宇宙空間に漂うガスや塵の集まった分子雲の密度の濃い部分が、万有引力によって収縮して塊を作ることで誕生します。塊の質量が太陽の10分の1程度以上になると、星の中心部は自己の重力で強く収縮されて高温高圧状態となり、水素からヘリウムが作られる核融合反応が始まって恒星となります。

宇宙望遠鏡が発見に貢献

太陽の1000分の1の質量を持つ木星は「第2の太陽になり損なった星」と言われます。実際に「木星が80倍重かったら、恒星になっていた」と計算されています。SF作品でも、小松左京さんは「木星太陽化計画」がカギを握る作品『さよならジュピター』(徳間書店)を執筆しています。

これまでの太陽系外惑星の発見は、NASAの赤外線天文衛星スピッツァー(2020年に運用終了)、ケプラー宇宙望遠鏡(2018年に運用終了)、トランジット系外惑星探索衛星(TESS:2020年7月に主ミッションが完了)などの貢献が大きいです。特にケプラー宇宙望遠鏡は、確認された5000個の太陽系外惑星のうち、半分以上の約2600個を発見しました。

今後も引き続き太陽系外惑星探査が活発に行えるように、新しい宇宙望遠鏡も開発されています。

2021年12月に打ち上げられたジェームズ・ウェッブ宇宙望遠鏡は、観測波長を近~中間赤外線に特化して、従来よりも鮮明かつ感度良く観測できます。27年に打ち上げる予定のナンシー・グレース・ローマン宇宙望遠鏡は、ジェームズ・ウェッブ宇宙望遠鏡よりも短い波長の近赤外線の観測に特化して、太陽系外惑星を探すとともに宇宙の膨張スピードを上げる暗黒エネルギー(ダークエネルギー)や見えないのに質量がある暗黒物質(ダークマター)の謎にも取り組みます。欧州宇宙機関（ＥＳＡ）が26年に打ち上げる予定のプラトー宇宙望遠鏡は、一部の太陽系外惑星の大気組成も研究できると期待されています。

地球類似指数0・95の惑星

太陽系外惑星は、数ばかりが注目されているわけではありません。究極の目的は、ハビタブルゾーンと呼ばれる、生命が存在かつ進化できる「地球と似た環境下を作り出せる領域」にある惑星を探すことです。

ＮＡＳＡの太陽系外惑星アーカイブを元にした「The Habitable Exoplanets Catalog」は、①惑星が岩石で構成されているとみられる、②表面に液体の水が存在する可能性が高い、③半径が地球の０・５～１・６倍未満、④質量が地球の０・１～３倍の条件を挙げ、クリアしている太陽系外惑星24個（２０２３年１月現在）を「潜在的に居住可能な系外惑星の保守的な事例（Conservative Sample of Potentially Habitable Exoplanets）」としています。そのうち、最も地球に似ているとされるティーガーデン星bは、太陽から12・５光年に位置するティーガーデン星の周囲を公転する２０１９年に見つかった惑星で、地球類似指数が０・95（指数は０～１で、１に近づくほど地球に特性が似ている）と考えられています。

惑星ではなく恒星の場合も

太陽系外惑星は、直接観測できることは稀です。惑星の重力で主星（中心にある恒星）がわずかに移動する様子を捉えて惑星の存在を見つけるドップラー法や、惑星が周期的に主星の手前を通過することで起きる主星の明るさの周期的な変化から発見するトランジット法などを使って、間接的に観測することが大半です。

そのため、時には測定精度が上がったことで、従来は惑星とされていたものがそうではない可能性があると示唆されることもあります。

米マサチューセッツ工科大学（ＭＩＴ）は22年3月、同大の大学院生プラジュワル・ニラウラさんらの研究チームが、かつてケプラー宇宙望遠鏡で発見された太陽系外惑星のうち３つが、実際には惑星ではなく小さな恒星である可能性を示したと発表しました。

研究チームによって系外惑星ではない可能性が指摘されたのは、「ケプラー８５４ｂ」「ケプラー８４０ｂ」「ケプラー６９９ｂ」です。２０１６年の発見当時、ケプラー宇宙望遠鏡で観測されたこれら３つの天体の直径は、トランジット法により木星の約１・２～１・５倍と推定されていました。

けれど、その後に利用できるようになったＥＳＡのガイア宇宙望遠鏡のデータを用いて再分析したところ、３つの天体の直径は木星の２～４倍の範囲でした。ガイアは位置天文学に特化した宇宙望遠鏡で、ドップラー法を利用して測定しています。ニラウラさんは、「ほとんどの系外惑星のサイズは木星と同程度かそれよりも小さく、2倍あれば（惑星と考えるには）疑わしい」と解説します。

研究チームは、ケプラー854bについては質量も推定できました。算出された値は木星の約102倍（太陽質量の約1％）であったため、ケプラー854bは低質量の恒星の可能性があると示唆しました。

確認済みの太陽系外惑星5000個超からニラウラさんのチームが指摘した3個が除外される可能性は高そうですが、実はTESSが検出して確認待ちの太陽系外惑星候補は、確認済みの惑星以上の数があります。合わせて1万個を超える惑星のうち、生命が誕生して進化している星はいくつあるのでしょうか。知性のある地球外生命体とのファースト・コンタクトも、SFの中だけの話ではなくなるかもしれません。

第2章　医療

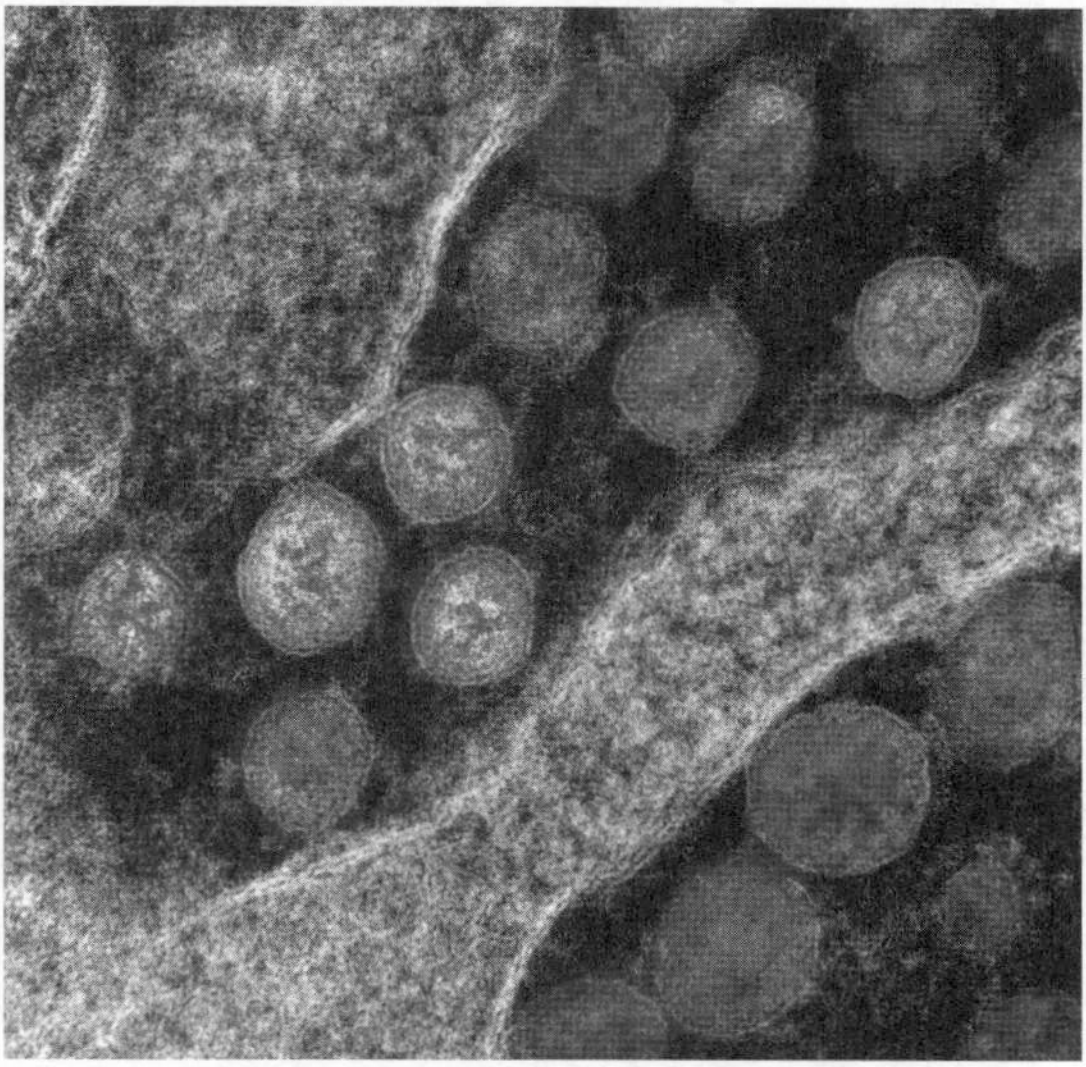

新型コロナウイルス（SARS-CoV-2）顕微鏡画像
提供：アフロ

5類引き下げになった新型コロナウイルス感染症のこれまでとこれから

【ポイント】
・流行から3年が経過し、新型コロナは季節性インフルエンザと同じ5類に引き下げられた
・新型コロナウイルスが広まった原因は、アメリカの情報機関の中でも諸説ある
・コロナ後遺症やワクチンの副反応の疑いについては、さらなる議論が必要である

流行から3年が経過し、5類に引き下げ

新型コロナウイルス感染症の流行が始まって3年が経過しました。日本では2020年1月に初の感染者が確認されて以来、8回の感染拡大の波が訪れ、授業や仕事の急速なオンライン化や「おうち時間」の充実など生活習慣も大きく変化しました。

政府は23年5月8日から、新型コロナの感染症法上の分類を2類相当の「新型インフルエン

ザ等感染症」から季節性インフルエンザと同じ「5類」に引き下げました。

5類になると、緊急事態宣言や入院勧告・指示、感染者や濃厚接触者の外出自粛要請などの行動制限はできなくなり、日本入国者へワクチン接種証明書を求める「水際対策」もなくなります。また、新型コロナ患者の診療や入院の受け入れは、感染症指定医療機関や発熱外来がある一部の医療機関などに限られていましたが、今後は幅広い医療機関で受診ができるようになります。一方で、全額が公費負担だった医療費は、一部自己負担に段階的に移行します。

5類への引き下げによってコロナ対策は一定の区切りがつけられます。しかし、5月、6月と新規感染者数はじわじわと増えており、6月下旬には新型コロナウイルス対策の政府の有識者会議の会長を務めた尾身茂氏が「『第9波』が今始まっている可能性がある」との認識を示しました。

新型コロナのこれまでとこれからを、3つのトピックスからおさらいしましょう。

新型コロナの最新の感染状況

厚生労働省の発表によると、日本での新型コロナウイルス感染症の感染状況は23年5月1日現在、陽性者の累計数が3372万5765人となりました。単純計算で国民の約4人に1人が感染経験をもつことになり、無症状や軽症のため感染者に自覚がなく報告数に計上されなかった例も考慮すると、日本ではこれまでに相当数が自然感染したと考えられます。一方、死亡者数の累計は同日現在、7万4550人です。ちなみに世界の感染状況については、米ジョンズ・ホプキンス大学が23年3月10日まで随時更新していました。最終データでは、累計感染者は6億7660万9955人で、累計死亡者は688万1955人でした。

日本では、新型コロナの新規陽性者数をグラフに描いた時、急激に数が増えているヤマの部分を「第〇波」と呼んでいます。5類引き下げ前までに、8回の感染拡大の波がありました。

・第1波（20年3月～5月頃）：20年1月に初の感染者が確認され、3月下旬に感染者が急増。4月7日に初めて「緊急事態宣言」が発出。1日感染者数のピークは全国で644人（4月11日、厚労省集計データ。以下同）。

・第2波（20年7月～8月頃）：感染者は第1波を上回ったものの「緊急事態宣言」は行われず飲食店への時短要請のみ。ピークは全国で1597人（8月7日）。

・第3波（20年11月～21年2月頃）：1月7日に2度目の「緊急事態宣言」を発出した直後に、全国で8045人（1月8日）と過去最多を更新。

・第4波（21年3月～6月頃）：変異ウイルス（アルファ株）による感染拡大。初の「まん延防止等重点措置」と3回目の「緊急事態宣言」。

・第5波（21年7月〜9月頃）：デルタ株による感染拡大。4回目の「緊急事態宣言」のさなかの東京五輪。8月20日に全国で2万5975人と過去最多を更新。
・第6波（22年1月〜3月頃）：オミクロン株による感染拡大。2月1日に全国で10万4520人と初めて10万人を突破。
・第7波（22年7月〜9月頃）：オミクロン株派生型「BA・5」の強い感染力による。7月15日に国内累計感染者数が1000万人を突破。8月19日に過去最多の26万1004人。
・第8波（22年11月〜23年1月頃）：オミクロン株でBQ・1、XBB系統など新たな変異株が蔓延。致死率は低いが、感染者が多いため死亡者が増えた。1月6日に国内累計感染者数が3000万人を突破。1月14日に1日あたりの死亡者数が初めて500人を突破。

新型コロナ対策について助言する厚生労働省の専門家会合は4月19日、現在の状況について「新規感染者数は全国的に緩やかに増加していて、特に大都市部で20代や10代以下の増加が見られる」と分析しました。また、専門家会合の脇田隆字《わきたたかじ》座長ら4人の有志は5類への移行後について「第8波を超える規模の『第9波』が起きて、亡くなる人の数は高齢者を中心に海外と比べて多い状況で推移する可能性がある」と予測する文書も発表し、警戒を呼びかけています。

結局、ウイルスはどこからきたのか

新型コロナウイルスの広まりの経緯は、「中国・武漢のウイルス研究所から流出」「中国・武漢の食品市場で動物からヒトに感染」「イタリアで武漢での流行以前に拡散」の3つの仮説が知られています。

ウイルスの出どころに関する最新の話題は、23年2月にアメリカのエネルギー省が「中国・武漢の研究所から流出した可能性がもっとも高い」と結論づけたことです。同省はこれまでは新型コロナウイルスの広まりの経緯について言及していませんでしたが、ホワイトハウスや米議会の主要議員に提出した改訂版の機密情報報告書の中で今回の考えを示しました。

CNNや「ウォール・ストリート・ジャーナル」の報道によると、ウイルスの起源については、アメリカ政府に複数ある情報機関の間でも、研究所流出説と市場起源説で見解が分かれているといいます。たとえばFBI（米連邦捜査局）はエネルギー省と同じく「研究所流出説」を採る一方、4機関は市場起源説の見方を示し、3機関は追加的な情報がなければどちらとも判断できないとコメントしているそうです。

武漢の研究所流出説の根拠とされるのは、①この研究所では新型コロナウイルスに最も近い（遺伝子の一致率が96・2％）とされる「RaTG13」（2013年に中国で見つかったコロナウイルスの一種）が研究されていたこと、②微生物や病原体等を取り扱う実験施設の格付けで最高クラスであるバイオセーフティーレベル（BSL）4の研究所であるが、アメリカから安全性や管理に問題があると指摘されていたこと、③コウモリのコロナウイルスとヒトのSARSコロナウイルスを合成してヒト細胞への感染性を評価する試験を行っていたこと、などが挙げられます。武漢の研究所で新型コロナウイルスが研究されていた証拠は見つかっていませんが、上記の理由から流出の疑念はなかなか払拭できないようです。

一方、「市場起源説」の根拠は、人獣共通感染症の原因として知られるコロナウイルスの多くはコウモリを自然宿主としており、中間宿主の動物を食べることなどでヒトに感染してきたことによります。たとえば中国で発生し、2003年に世界で流行したSARS（重症急性呼吸器症候群）の原因ウイルスであるSARSコロナウイルスは、コウモリが持つ類似ウイルスが、食用にもなるハクビシンなどを介してヒトに感染したと考えられています。

米アリゾナ大学などの2つの研究チームは22年7月、米科学総合誌「Science」に「新型コロナのパンデミック（世界的な大流行）は、生きた哺乳類が売られていた中国・武漢の『華南海鮮卸売市場』が起源で、動物からヒトに感染したと考えられる」と発表しました。新型コロナの最初の発生時期と考えられている19年11月から12月頃、同市場ではウイルス保有が疑われるタヌキなどの動物が売られており、動物が飼われていたカゴからも新型コロナウイルスが見つかっているといいます。

また、「イタリア発生説」は、伊国立がん研究所（INT）が「イタリアでは新型コロナウイルスが19年9月時点ですでに拡散していた」と同国の学術誌「ツモリ」に20年11月に発表したことによります。

同研究所によると、19年9月から20年3月までに肺がん検査に応じた健康な人959人のうち11・6％が新型コロナウイルスへの抗体ができており、19年9月に採取した血液サンプルからも抗体が検出されたといいます。これはWHOが新型コロナウイルス感染症の発生と考えている19年12月（中国・武漢）よりも早い時期になりますが、専門家の間では分析手法を疑問視する意見も少なくありません。

WHOは手のひらを返した？　ワクチン接種の指針と副反応疑い

WHOは3月28日に世界に向けたワクチンの接種指針を改定して「健康な成人や子どもには定期的な追加接種を『推奨しない』」としました。ネットでは「WHOが反ワクチンに転じた」「3回目を接種するんじゃなかった」などの極端な意見も交わされていますが、あくまで先進国以外の事情も踏まえて新型コロナの現状と公衆衛生、費用対効果から出された指針なので、ワクチンが危険とか無意味というメッセージは含んでいません。

日本では、コロナワクチンの副反応や後遺症についての取りまとめや報道が遅れたこともあり、ワクチンへの不信感が根強くあります。

Our World in Data が8月31日に公表した日本のワクチン接種状況は、総接種回数が3億8374万7738回です。さらに少なくとも1回以上ワクチン接種した人の割合は84・47％で世界6位、人口100人あたりのワクチン接種回数は309・59回で世界1位となっています。

4月28日の厚生科学審議会（予防接種・ワクチン分科会副反応検討部会）では、副反応疑い報告制度において23年3月12日までにワクチン接種後の死亡例として報告されたものが公表されました。12歳以上では、ファイザー社1829件（100万回接種あたり6・2件）、モデルナ社224件（同2・7件）、武田社1件（同3・2件）でした。小児（5～11歳）は3件（同0・8件）、乳幼児（6カ月～4歳）は0件でした。ただし、いずれも現時点ではワクチンとの因果関係があるとは結論づけられませんでした。

コロナ後遺症に関しては、国立国際医療研究センターが20年2月から21年11月までに新型コロナ患者として受診した20代から70代の502人に対して、その後の症状を聞き取って分析したところ、感染から1年半後の段階でも4人に1人が後遺症とみられる症状を訴えたという結果が出ました。子どもに関しては、日本小児科学会の研究チームが20年2月から23年4月11日までに学会のデータベースに寄せられた0～15歳を中心とした20歳未満の感染者4606人の情報を分析し、感染者のうち発症から1カ月以上たっても続く後遺症がある割合は3・9%だったと発表しています。

WHOも日本の厚労省も、新型コロナワクチンはどの年代においても「有効で安全」との見解を示しています。もっとも、流行初期は集団免疫を付けるために国策的なワクチン接種計画に協力する姿勢も求められましたが、本来、ワクチンは「感染して重症化するリスクよりは、ワクチンの副反応のリスクを取ったほうがよい」と考える人が打つものです。今後はますます、個人がリスクとベネフィット、社会状況を熟慮して、ワクチン接種をするかどうかを判断しなければならなくなるでしょう。5類に移行しても、安心しすぎずに新型コロナの感染状況を見守り続けたいですね。

コロナワクチンと同じmRNA技術を用いたインフルエンザワクチンが開発される

【ポイント】
・従来型のインフルエンザワクチンは、流行する型の予想がはずれて効果がない場合もある
・日本で製造するワクチンは、WHO（世界保健機関）の推奨株をもとに感染研が検討する
・インフルエンザのmRNAワクチンは、「はずれがない」ことが期待できる

インフルエンザワクチンはハズレが多い

毎年、冬に流行する季節性インフルエンザは、感染力が強く、予防にワクチンが広く用いられています。けれど、ワクチンの効果には「当たりはずれ」があることが知られています。

インフルエンザワクチンの接種時期は毎年10月から12月頃ですが、日本で次の冬に流行するタイプを予想して、多様なヒトインフルエンザウイルスの中から4種のワクチン採用株を決定するのは4月から6月頃であるためです。

ワクチンとは異なったタイプのインフルエンザウイルスが流行した場合、ワクチンの効果は「まったくなし」から「薄れるが、ある程度は見込まれる」まで、研究者や医師によって意見は分かれています。けれど、期待されていた効果が十分に得られないことは間違いありません。

米ペンシルベニア大学などの研究グループは、新型コロナウイルスワクチンと同じｍＲＮＡ技術を用いた新しいインフルエンザワクチンを開発したと発表しました。20種のインフルエンザウイルスに対応しているため、「はずれがないワクチン」として期待されます。研究成果は米科学総合誌「Science」に２０２２年11月24日付で掲載されました。

厚生労働省は、季節性インフルエンザと新型コロナ感染症が同時流行すると発熱外来にかかりにくくなることなどを警戒し、２０２２〜２０２３年シーズンの冬はインフルエンザワクチンの接種を推奨しました。「型が違うと意味がないからワクチンは打たない」と考える人も多い季節性インフルエンザですが、ワクチン決定の段取りなどをおさらいしながら、ｍＲＮＡワクチンの意義について考えてみましょう。

ワクチン製造の4ステップ

季節性インフルエンザは、Ａ型インフルエンザウイルスとＢ型インフルエンザウイルスによって引き起こされます。A型はとりわけウイルスの亜型（サブタイプ）が多く、感染力が強く、症状も重篤になる傾向があります。ウイルス感染後、数日で38℃以上の高熱や頭痛に続いて、咳や喉の痛みなどの呼吸器症状が現れます。もっとも、高齢者や呼吸器系の基礎疾患を持っているとリスクは高まりますが、多くの人がある程度の免疫を持っていることもあって、致死率は0・1％と決して高くはありません。

日本における毎年のインフルエンザワクチンの製造は、以下のようなステップを踏みます。

1. 毎年2月頃にWHOよりインフルエンザワクチン推奨株が発表されます。近年のインフルエンザワクチンは4価（4種類のウイルスに対応）なので、A型H1N1、A型H3N2、B型ビクトリア系統、B型山形系統から選ばれます。最新の2023〜2024年冬向けには前年の推奨株から4種中1種（H1N1）の変更がありました。

2. 国内のワクチンメーカーで、1〜2カ月かけて、増殖性などの製造効率を確認します。その後、WHOの推奨と製造効率の両方を踏まえて、国立感染症研究所で「今年の国内のインフルエンザワクチンにどの4種を選ぶか」を検討し、1種ごとに複数候補を順位付けします。

3. 感染研の挙げた候補について、厚生科学審議会の季節性インフルエンザワクチンの製造株について検討する小委員会（インフル株小委員会）で議論し、1種に1つの製造株を選定します。

2023~2024年シーズンは、H1N1がA／ビクトリア／4897／2022（IVR-238）、H3N2がA／ダーウィン／9／2021（SAN-010）、ビクトリア系統がB／オーストリア／1359417／2021（BVR-26）、山形系統がB／プーケット／3073／2013となりました。

4．選定に基づいて国内メーカーで製造し、9月下旬から販売されます。医療機関では10月から接種が可能となります。

日本で接種できるワクチン

2023年8月現在、日本で接種できるワクチンは、①生ワクチン、②不活化ワクチンとトキソイド、③mRNAワクチンとウイルスベクターワクチンの3グループに分けることができます。

生ワクチンは、生きているウイルスや細菌の病原性を弱めたものです。ウイルスや細菌が人体で増殖するので、接種後1~3週間にその病気の症状が軽く現れることがあります。BCGや麻疹《はしか》のワクチンに使われていますが、免疫不全の患者や妊婦には禁忌です。

不活化ワクチンは、病原体をホルマリンや紫外線などで処理をして感染力をなくしたものを原材料にしています。人体で増殖することがないので、1回の接種だけでは必要な免疫を獲得できなかったり、維持するためには数回の接種が必要となったりします。インフルエンザや日本脳炎、武田薬品工業株式会社の新型コロナワクチン（ノババックス）などが当てはまります。

トキソイドは病原体となる細菌が作る毒素だけを取り出し、無毒化して免疫原性だけを残したもので、破傷風やジフテリアなどに用いられる不活化ワクチンの一種です。

ここまでに挙げた「従来型」と呼ばれるワクチンは、ウイルスのタンパク質の一部を人体に投与すると、それに反応して免疫ができる仕組みを使っています。

一方、新型コロナワクチンで一躍有名になったmRNAワクチンとウイルスベクターワクチンは、ウイルスの遺伝情報の一部を注射します。人体で、この遺伝情報をもとにウイルスのタンパク質の一部が作られ、それに対する抗体ができることで、ウイルスに対する免疫ができます。ファイザー社製やモデルナ社製がmRNAワクチン、22年9月末日で接種終了となったアストラゼネカ社製がウイルスベクターワクチンです。

なお23年3月には、第一三共の経鼻ワクチン「フルミスト」が正式に承認されました。注射ではなく、鼻に吹きかけるタイプのインフルエンザワクチンの承認は、国内で初となります。

フルミストは生ワクチンに分類され、既に30以上の国と地域で承認されています。日本での供給開始は、２０２４年度の秋冬シーズンからとなる見込みです。

インフルエンザワクチンの歴史

日本におけるインフルエンザワクチンの歴史は、１９１９年に遡ります。世界で５０００万人以上が死亡したとされるスペインかぜは、18年から20年にかけて大流行しました。多くの研究者が原因菌を探し、当時、「インフルエンザ菌」と考えられたものはパイフェル氏菌でした。そこでパイフェル氏菌に対するワクチンが開発され、19年から20年にかけて20万人以上に接種され、死亡率を大きく下げました。

インフルエンザウイルスではなくパイフェル氏菌に対するワクチンで、なぜ効果があったのか不思議ですが、インフルエンザの重症化には別の細菌の二次感染によるものが少なくないためだからと考えられます。

33年にイギリスのスミス、アンドリュウス、レイドロウによってインフルエンザウイルスが初めて分離されると、まず生ワクチンが開発され、続いて51年には日本初の不活化ワクチンが販売されました。以来、遠心機や精製技術の発展により、ほとんどの夾雑物《きょうざつぶつ》（余計な異物。培養に使う鶏卵由来の物質など）を取り除けるようになって、安全性の高いワクチンが出回るようになりました。海外では経鼻噴霧タイプの生ワクチンも一般的で、注射タイプよりも予防効果が高いとされています。

mRNAワクチンの長所は開発スピード

今回のペンシルベニア大学の研究グループは、なぜインフルエンザでmRNAワクチンを開発したのでしょうか。

新型コロナワクチンでは、接種データや副反応の蓄積がないこと、ウイルスの遺伝情報を自分の体内に入れることに抵抗を感じることなどを理由に、歓迎しない人が一定数現れていることも記憶に新しいでしょう。20種のウイルスに対応していますが、不活化ワクチンの肺炎球菌ワクチンには23価のものもあるので、mRNAワクチンでないと多種類に対応できないということではありません。

mRNAワクチンのメリットは、感染性がない、細胞成分などの異物の混入がない、アジュバント（不活化ワクチンで効果を高めるために使う添加物）が必要ないことなども挙げられますが、何よりも、ウイルスの遺伝情報が分かれば数週間でワクチンを開発できるスピードが最大の長所です。従来型のワクチンでは、開発には数年から十数年の期間が必要です。とりわけ、インフルエンザウイルスのように変異しやすいウイルスでは、変異しても遺伝情報さえ取得すれば、速やかに新しいワクチンを開発できることは大きな利点です。

今回の研究では、マウスの実験で、季節性インフルエンザだけでなく、変異が大きく、これまでに人が免疫を獲得していないために感染すると重症化しやすい「新型インフルエンザ」にも予防効果があることが示唆されました。

さらに4カ月後にもマウス体内に抗体が存在していること、フェレットにもマウスと同様の効果があることが確認されました。異なる動物種に対しても効果が現れていることから、今後はヒトに対しても効果を発揮するかどうかを調べるそうです。

インフルエンザでmRNAワクチンが一般的になる日は近いかもしれません。けれど、あくまで利用者がメリット、デメリットを吟味して、ワクチンを接種するか否か、接種するならばmRNAワクチン、不活化ワクチン、生ワクチンなどを自分の意志で選べるように、選択の幅と情報公開が広がることが重要でしょう。新型コロナでの経験が活かされることを願って止みません。

「子供の頃から寝不足」「女子のほうが休日に寝溜め」日本人の睡眠傾向とリスク

【ポイント】

- **日本人の睡眠不足や寝溜めの習慣は、子供時代に定着している**
- **女性は睡眠不足が精神状態に影響しやすいため、男性よりも長い睡眠時間が必要である**
- **睡眠不足は生活習慣病や肥満のリスクがあるが、長すぎても悪影響がある**

「子供の夜ふかし」が日本人の睡眠時間に影響?

人生のうち約30%を費やす睡眠。疲労回復に必須なだけでなく、不足すると生活習慣病のリスクが高まったり、ストレスやうつ状態が悪化したりするとされており、心身の健康を保つために欠かせない営みです。

日本人の睡眠は、先進国の中で最も短いことが各種の調査で示されています。けれど、これまでは成人に関する研究ばかりで、子供の睡眠に対する調査はほとんどありませんでした。

日本人の睡眠時間の特徴は、子供の頃から培われているのでしょうか。このほどアメリカ睡眠学会のオンライン誌「SLEEP Advances」に発表された日本人の子供の睡眠習慣に関する調査結果と、近年の日本人の睡眠時間の傾向を見てみましょう。

高校生のうちから短時間睡眠が定着

広島大学の田原優《たはらゆう》准教授と、早稲田大学・柴田重信《しばたしげのぶ》研究室、東京工業大学・髙橋将記《たかはしまさき》研究室、ベネッセ教育総合研究所は、全国の小学4年生から高校3年生までの９２７０人（各学年、男女それぞれ５１５名）を対象に、「子どもの生活リズムと健康・学習習慣に関する調査」を２０２１年6月に実施しました。その結果、子供の睡眠習慣は、学齢が上がるにつれ、遅寝、遅起きが顕著になることが確認されました。

高校生では、１週間の平均睡眠時間が7時間9分で、日本人全体の平均（7時間22分、ＯＥＣＤ〔経済協力開発機構〕の調査〔21年〕）よりも短いことが分かりました。つまり、睡眠時間の短さは高校生のうちから習慣化していることが示されました。

さらに詳しく見ると、高校3年生の平日の平均睡眠時間は6時間36分と短く、休日は8時間以上と、休日に「寝溜め」をしていることが分かりました。

この原因は、「子供の夜ふかし」にありました。調査によると、高校3年生は平日、休日にかかわらず、平均就寝時刻が24時を過ぎていました。平日は学校があるので朝6時半頃に起床せざるを得ず、睡眠不足になります。そこで休日に長時間寝ることで、平日に溜まった睡眠不足を解消していることが分かりました。

1週間の睡眠不足は、小学生は平日合計1時間程度でしたが、高校生では平日合計2時間半から3時間にまで増えていました。そのために、高校生は「社会的時差ボケ」（平日と休日の生活リズムの時刻差）が平均で1時間を超えており、生活リズムの乱れが目立ちました。

女性は睡眠不足の影響を受けやすい

また、男女差を見ると、平日には差は見られませんが、女子のほうがより休日に寝溜めしている傾向が見られました。さらに、平日の起床時間は、学校があるために基本的に学齢や男女による差は少ないと考えられますが、高校生女子は男子や中学生までの女子よりも早起きする傾向がありました。これは「身だしなみにかける時間」が長くなるからと推測されています。

男女で必要な睡眠時間が違うことは、16年に英ラフバラー大学睡眠研究センター所長のジム・ホーン教授らが行った調査など、多くの先行研究で示されています。ホーン教授は「睡眠不足と心理的疲労、抑うつ感、怒りなどとの関連がより強いのは女性で、女性は男性よりも長い睡眠時間が必要」と話しています。

今回の広島大学グループの研究では、子供でも睡眠不足や社会的時差ボケが精神の健康状態に関連するのか、それは男女差があるのかを検討しています。

「疲れやすい」「いらいらする」といった各質問に対し、「とても感じる」から「まったく感じない」までの4択で回答するアンケート調査では、睡眠不足や社会的時差ボケが大きい人ほど「疲れやすい、いらいらする、気分が落ち込む、昼間に眠くなる」といった精神的な不健康を訴える傾向がありました。さらに、この傾向は男女共に同じでしたが、女子のほうが睡眠不足や社会的時差ボケとの関連が強いことが示されました。

近年は、規則正しい睡眠習慣の重要性に対する理解が進み、ゲームやネットの過度な使用による子供の夜ふかしが健康や学業成績に影響することが懸念されています。この研究では子供の睡眠不足、特に女子の睡眠不足の悪影響が示唆されました。保護者を含めた睡眠教育で、生活リズムや規則正しい睡眠を早期に伝えることが大切でしょう。

睡眠不足の悪影響

先にも記述した21年のOECDの調査によると、先進国を中心とする33カ国の中で、日本の睡眠時間はもっとも短く、アメリカとは89分、中国とは100分の差がありました。

日本人の平均睡眠時間の推移は、総務省が１９７６年から5年ごとに行っている「社会生活基本調査」で見ることができます。２０００年代に入ってから一貫して減少傾向でしたが、最新の令和３年の調査では10歳以上の約19万人の平均睡眠時間は7時間54分で、前回の7時間40分に対して初めて増加傾向に転じました。

ただし、調査では「テレワーク（在宅勤務）をしていた人はしていない人に比べて、睡眠、趣味・娯楽などの時間が長い」という傾向も見られ、コロナ禍での生活様式の変化の影響が示唆されます。日本人の睡眠時間の減少に歯止めをかけるためには、コロナ後もテレワークが定着するのかなども課題になりそうです。

睡眠不足が健康に悪影響を及ぼすことはよく知られています。インスリンや成長ホルモンなどの分泌が低下して糖尿病や高血圧が起こりやすくなったり、食欲抑制ホルモンのレプチンの分泌低下と食欲ホルモンのグレリンの分泌増加で肥満しやすくなったりすることが、これまでの研究で確認されています。さらに、免疫力が低下して炎症反応が起こりやすくなる現象も観察されています。

寝過ぎもリスクがある？

もっとも、睡眠時間が短いことは悪いとは言い切れません。適切な睡眠時間には大きな個人差があり、短い睡眠時間で健康を保てる「短眠者（ショートスリーパー）」も存在します。さらに、近年は「睡眠時間が長いリスク」も注目されています。

睡眠時間が短い人と言えば、ナポレオンは1日3時間、イギリスのサッチャー元首相は1日4時間しか寝ていなかったと伝えられています。日本の著名人では、『ONE PIECE』でコミックス全世界累計発行部数のギネス世界記録（22年8月に5億部）を持つ漫画家の尾田栄一郎《おだえいいちろう》さんは、朝9時に寝て昼12時に起きる3時間睡眠の生活だと公表しています。また、タレントで日本フェンシング協会元会長の武井壮《たけいそう》さんは、13年のテレビ番組で行われた睡眠分析によって「深い睡眠を効率的に取っており、45分の睡眠が一般人の7時間に匹敵する」ことが示されました。

全国の住民の健康状態を30年近く追跡調査した「JACC Study」では、約10万人の睡眠時間と総死亡リスクの関係も調べられ、睡眠時間が短いだけでなく、長くても死亡リスクが上がることが分かりました。

7時間睡眠の人の死亡率を1とすると、男性では睡眠時間が4時間以下の人の総死亡リスクは1・3倍になる一方、10時間以上の睡眠でも1・4倍になっていました。女性では、4時間以下で1・3倍、10時間以上で1・6倍でした。

もともと体調がすぐれない人が、長時間、横になっている傾向があることも加味しなければなりませんが、睡眠が長すぎる場合には「睡眠中毒（睡眠慣性）」と呼ばれる症状があることも知られています。寝すぎたり二度寝をしたりすると、起きた後にかえって眠気が残り、頭がはっきりせず調子が悪くなるという現象です。この状態で車の運転などをすると、事故のリスクが高まると考えられています。

生まれた時から当たり前にとっている睡眠ですが、自分にとって適切な睡眠時間を知ることが、人生の生活の質を上げるのに重要な要素となりそうです。

がん細胞だけ攻撃する免疫細胞をオーダーメイドで作ることに成功

【ポイント】
・ノーベル賞受賞技術「CRISPR-Cas9」で、がん治療に新たな可能性が示される
・CRISPR-Cas9 は時間やコストを減らせ、すでに品種改良や創薬に使われている
・技術の簡便さの弊害で、実際に中国で「デザインベビー」が誕生した

ノーベル賞を獲ったゲノム編集技術

アメリカのがん治療ベンチャー企業やカリフォルニア大学ロサンゼルス校などから構成される研究チームは2022年11月、「がん細胞だけを攻撃する免疫細胞」を各個人に合わせて作成することに成功したと、マサチューセッツ州ボストンで開催されたがん免疫療法学会で発表しました。この成果は英総合科学誌「Nature」にも掲載されました。

用いられたのは「CRISPR-Cas9《クリスパーキャスナイン》」と呼ばれるゲノム編集技術です。身体を異物から守る免疫応答システムの司令塔の役割を果たす細胞集団「T細胞」をオーダーメイドでデザインし、増やしました。

ゲノム編集は、酵素の「ハサミ」でDNAを切断して、生物のゲノム（遺伝情報）を人為的に書き換える技術です。それまでの遺伝子工学に使われてきた遺伝子組み換えと比較して、安全かつ狙った遺伝子を編集できる技術として、農作物の品種改良などにすでに応用されています。近年は、遺伝子疾患治療の救世主になる可能性があると、医療分野での研究開発が急ピッチで進んでいます。

その重要性はノーベル賞のお墨付きです。CRISPR-Cas9を開発した2人の女性研究者、独マックス・プランク感染生物学研究所のエマニュエル・シャルパンティエ所長と米カリフォルニア大学バークレー校のジェニファー・ダウドナ教授は、開発のわずか8年後の2020年にノーベル化学賞を受賞しました。

ゲノム編集技術の歴史と未来を概観しましょう。

日本人研究者も貢献したCRISPR-Cas9の発明

CRISPR-Cas9のCRISPRは「clustered regularly interspaced short palindromic repeats」の略で、細菌のDNAにある繰り返し配列のことです。現在、九州大学の教授で、当時は大阪大学で研究していた石野良純《いしのよしずみ》博士らは、1987年に大腸菌のDNAに同じ配列が5回繰り返されている部分があることを発見しました。けれど、当時はそれがどのように作用するのかは不明で、特に注目はされませんでした。後に石野博士の論文をもとに、欧米の研究者たちは、この繰り返し配列がウイルスなどの外敵の侵入を認識して攻撃する免疫システムに関わっていることを突き止めました。CRISPRの近くには、DNAを切断（分解）する酵素に関する遺伝子群が存在しました。酵素はCas（CRISPR-associated の意味）と名付けられました。

シャルパンティエ所長とダウドナ教授は、12年に米総合科学誌「Science」に掲載された論文で、化膿性レンサ球菌にはCRISPRとCas9によって外敵であるファージ（細菌に感染するウイルス）のDNAを切断する免疫応答があることを明らかにし、この免疫システムはゲノム編集に応用できる可能性があると提唱しました。

化膿性レンサ球菌は、外来性のDNA（ウイルスなど）が侵入すると分解酵素Cas9によって切断し、CRISPR中に外来性DNAの欠片を捕獲します。再度、侵入者が現れた時、レンサ球菌は捕獲したDNAからRNAをコピーして、Cas9の判定を待ちます。Cas9は、捕獲済みのDNAと侵入者のDNAが一致したら攻撃して、侵入者のDNAを切断して排除します。

この仕組みを応用すれば、目的の遺伝子を探す役目を持つガイドRNAとCas9を使って、遺伝子を切り取りたい部分にハサミ（Cas9）を届けて遺伝子欠損を起こしたり、切断後に遺伝子が修復する過程を利用して目的の遺伝子を挿入したりすることができます。

両氏はこの論文に「RNAによってプログラムされたCas9を利用する方法は、遺伝子ターゲティングとゲノム編集に関して多大な可能性を秘めている」と明記しています。実際に、半年後にはCRISPR-Cas9の原理を使った初めてのゲノム編集が報告されるなど、この技術の普及と発展に大きく貢献します。

時間とコストの減少で品種改良や創薬を推進

ゲノム編集技術は、CRISPR-Cas9以前にもZFN（96年）やTALEN《ターレン》（10年）が発表されていました。これらと比べてCRISPR-Cas9の優れている点は、外敵のDNA配列を認識するのがアミノ酸ではなくRNAであるため合成しやすく、時間やコストが大幅にカットできることです。CRISPR-Cas9の登場で、ゲノム編集は世界中の研究室で簡便に行えるようになり、農作物の品種改良や創薬研究を大きく推進させました。

たとえば、日本では20年12月に、厚生労働省がゲノム編集トマトの流通にゴーサインを出しました。ただし、ゲノム編集作物は登録義務こそあるものの、安全性審査や環境試験、表示義務がないので、消費者の「選ばない自由」は、生産者や小売店の自主的な開示次第となっています。

医療分野では、とりわけ体内に潜伏するウイルスや病変への効果が期待されています。HIVによる後天性免疫不全症候群（エイズ）は、もはや「死の病」ではなく投薬で発症のコントロールができますが、ウイルスは潜伏するので常に再発の恐れがあります。13年に京都大学グループは、CRISPR-Cas9を用いて潜在性HIVプロウイルスを破壊する実験に成功しました。22年1月には、米Excision BioTherapeutics社が、CRISPR-Cas9によるゲノム編集は動物で有用なデータが得られたとして、臨床試験を開始しています。

がんに罹患すると、自覚症状の前でも異常な増殖をする細胞が体内に潜伏しています。CRISPR-Cas9で免疫細胞を強化することで発見と治療が可能と考えられており、すでにアメリカや中国では盛んに研究されています。

個人に合わせたがん治療が可能に

今回のアメリカの研究チームによる研究は、「T細胞を遺伝子操作してがん細胞を標的化するCAR-T《カーティー》細胞療法」と「CRISPR-Cas9によるオーダーメイド治療」の2つの最新技術を組み合わせました。

「ＣＡＲ－Ｔ細胞療法」では、まず患者自身のＴ細胞を体外に取り出して遺伝子操作を施し、ＣＡＲ（キメラ抗原受容体）と呼ばれる特殊なタンパク質を作り出すことができるように改変します。ＣＡＲは、がん細胞の表面に発現する特定の抗原（がん細胞の目印）を認識できます。ＣＡＲを作り出せるようになったＴ細胞（ＣＡＲ－Ｔ細胞）を患者の体の中に戻すと、がん細胞を攻撃するＴ細胞として働きます。

ＣＡＲ－Ｔ細胞療法は、全身を循環する血液がんやリンパがんの治療では有効とされていますが、固形腫瘍（固形がん。大腸がんや胃がんのように塊を形成するがん）では難しいと考えられてきました。①ＣＡＲ－Ｔ細胞はがん細胞の表面に発現しているタンパク質にのみ効果があり、奥まったところには効かないこと、②固形腫瘍では表面に発現するタンパク質に個人差があって、全員に効果があるものを作ることが難しいことが理由です。

研究チームは、固形腫瘍である乳がんや結腸がんの患者16人に対して、がん細胞の変異タンパク質を調べて特定し、個人ごとに「どの変異にＴ細胞が攻撃したら、がん細胞をやっつける可能性が高いか」を予測しました。その後、がんの目印を見つけられるＣＡＲ－Ｔ細胞を作る時に、CRISPR-Cas9による遺伝子編集で一人ひとりのがんに最適化させて、患者の体内に注入しました。

その結果、遺伝子編集されているT細胞は編集されていないT細胞よりも腫瘍の近くに高濃度で存在していること、1カ月後に16人中5人の腫瘍が安定している（成長していない）ことなどを確認しました。

現実化するデザインベビー

もっとも、CRISPR-Cas9にも問題点はあります。

まず、他のゲノム編集技術と比べて、標的のDNA領域ではない他の配列の領域を間違って切断してしまう「オフターゲット作用」が生じやすい問題があります。ただし、この問題点のために CRISPR-Cas9を手放すにはあまりにも利点が大きいので、研究現場ではマイナス面と上手く付き合いながら使用し、科学技術の発展で欠点が解消されるのを待っています。実際、登場から10年が経過した現在（2023年）は、編集を行いたい領域のゲノム配列を入力すると、より特異性が高く、ターゲットからはずれる可能性の低いガイドRNAを、ランク付けして教えてくれるウェブサイトも開発されています。

深刻なのは倫理問題です。簡便さと安価から世界の研究室に普及したことで、少し前まではSFの世界の話だった「デザインベビー」が実際に中国で誕生してしまいました。

中国の南方科技大学の賀建奎《フージエンクイ》・元副教授は、17年3月から18年11月にかけて7組のカップルの受精卵にゲノム編集を施し、3名の「ゲノム編集した赤ちゃん」が生まれたと発表しました。賀氏は「カップルの父親がいずれもHIV感染していたため、子への感染を防ぐ狙いだった」と説明しましたが、「倫理に反する」と国際的な非難を浴びました。中国の裁判所は賀氏に懲役3年の実刑判決を下しました。

ゲノム編集技術は賛否両論ありますが、今後、この技術が加速的に発展することは間違いありません。中国のケースの恐ろしさは、1人の研究者の倫理観によって行われ、本人と2人の実験助手のみで「ヒト受精卵のゲノム編集」が完遂できてしまったことです。日本でも技術的に行える場所は少なくありません。早急に生命倫理の議論、実験施設の監視・報告体制の整備、法の整備などが必要でしょう。

世界で進む「糞便移植」が日本で普及していない理由

【ポイント】
- **健康な人の腸内細菌叢を移植する糞便移植では、近年、便バンクの整備も進んでいる**
- **腸内細菌叢の乱れは、消化器疾患だけでなく、肥満、糖尿病、うつ等にも関係している**
- **他人の糞便に対する嫌悪感やリスクから、健康時の自己糞便の保存が注目されている**

他人の糞便は薬になる？

オーストラリアの医薬品・医療機器の管轄機関である保健省薬品・医薬品行政局（Therapeutic Goods Administration：ＴＧＡ）が糞便微生物移植（Fecal Microbiota Transplantation：ＦＭＴ）を承認したと、２０２２年11月にイギリスの「ガーディアン」紙が報じました。

ＦＭＴは腸内細菌叢《そう》移植とも呼ばれており、健康な人の便に含まれている腸内細菌を患者の腸内に移植することによって腸内環境の正常化を目指す治療法です。安倍晋三元首相が罹患していたことで知られる潰瘍性大腸炎などの治療に役立つとされています。

「ガーディアン」紙は「国家の規制当局が承認した世界初の事例」としていますが、オーストラリアで認可されたのは再発性のクロストリジウム・ディフィシル感染症（Clostridium difficile infection：CDI）に対してのみで、これまでもアメリカで同疾患に対する糞便移植が規制当局の米食品医薬品局（FDA）に認可された事例があります。と言っても、ニュースの価値が下落するわけではありません。米シンクタンクは、糞便移植や糞便由来の治療薬の市場は2025年頃までにアメリカ国内だけで500億円規模になると予想しています。アジアやヨーロッパを加えると1000億円規模になると見積もられています。イギリス連邦での初めての承認は、世界的な拡大に拍車をかけると考えられます。

FMTは日本でも保険適用外（自由診療）で臨床応用が始まっており、「アイバンク」や「骨髄バンク」のような「便バンク」の整備も進んでいます。今後の有望分野である糞便の医療利用を概観してみましょう。

健康や病気の発生に大きく関わる腸内細菌叢

ヒトの腸内には約1000種類の細菌が生息し、その総数は100兆から数100兆個、重さにして1～2kgと言われています。これらの腸内細菌の全体を腸内細菌叢（腸内フローラ）と呼び、代謝を通じて細菌同士や宿主であるヒトと複雑なやり取りをすることで、ヒトの健康や病気の発生に大きく関わっていると考えられています。

善玉菌、悪玉菌という呼称や、腸内細菌の健康への影響は、一般ニュースにもよく取り上げられます。ヒトの腸は母親の胎内にいる時は無菌状態ですが、自然分娩では産道、帝王切開では母親の皮膚にいる菌に触れて、最初の腸内細菌となります。1960年頃までは腸内にいる細菌は大腸菌だけだと思われていましたが、その後、研究が進んで多種多様な細菌が集合体を作っていることが分かりました。

2000年代に入ると、腸内細菌の研究は飛躍的に進みました。90年にプロジェクトが立ち上げられた「ヒトゲノム計画」は、ヒト遺伝子の全解読という成果の他に、遺伝子解析用の機器も発展させました。遺伝子の大量解析ができる「次世代シーケンサー」の開発によって、一つ一つの腸内細菌を培養して観察しなくても、腸内細菌叢にどのような細菌がいるかを網羅的に調べることができるようになり、07年にはアメリカで「ヒトマイクロバイオーム計画」という人体に棲む細菌を探る国家プロジェクトが立ち上がります。

腸内細菌の研究が進むにつれ、腸内細菌叢の乱れは炎症性腸疾患や過敏性腸症候群などの消化器疾患だけでなく、肥満、糖尿病、関節性リウマチ、うつなど様々な疾患に関係していることが明らかになってきました。ところが、健康な人の腸内細菌叢を細菌培養によって患者に再現することは、細菌の種類が多く構成が複雑なことなどからほぼ不可能です。そこで、健康な人の腸内細菌叢を患者の腸内に移植するFMTが注目されるようになりました。

日本で普及が遅れた理由

もっとも、FMTによる治療は東洋医学では予想以上に古くから行われており、4世紀の中国の文献には「下痢が止まらない人に、健康な人の便をお尻から入れたら治った」と書かれています。西洋医学では、1958年に医師のアイズマンらによって4名の再発性の偽膜性腸炎患者に1~3回のFMTが施され、全例で副作用なく症状が改善されたと初めて報告されました。FMTが世界的に広まったきっかけは、2013年に医師のファンノードらが、CDIに対して1回投与で81%、複数回の投与で94%という顕著な再発抑制効果と腸内細菌叢の多様性が回復されたことを示した報告です。

CDIは、抗菌薬（抗生物質）を外科手術で大量に使ったり、長期間使ったりすることで、抗菌薬に耐性を持つクロストリジオイデス・ディフィシル菌だけが異常繁殖して腸内細菌叢が乱れることが原因で発症し、最悪の場合は命を落とします。アメリカでは毎年50万人が罹患し、3万人が死亡すると言われています。

それまでの治療の主流は、なんとか効き目のある抗菌薬を探して投与することでしたが、再発するものは治療が困難でした。その後、アメリカでCDIに対するFMTが通常医療として認可されると、アメリカ、オランダ、中国などで健康な人の便を集めた「便バンク」が設立され、CDI患者に正常な腸内細菌叢を供給できる体制が整うようになりました。アメリカの最大の便バンクOpenBiome《オープンバイオーム》では、21年9月までに6万件の提供実績を達成しています。

日本では、外国と比べてCDIが重症化しにくい事実や、自由診療のリスクを医師が取りたがらない風潮などがあったため、FMTの普及は遅れています。しかし13年から大学病院など8つの施設で臨床治験が始まり、便バンクも立ち上がりました。20年1月には、順天堂大、東京工業大、慶應義塾大の研究者によって「FMTの社会実装と腸内細菌叢の医療・創薬を推進」を目的としたベンチャー企業メタジェンセラピューティクス株式会社も設立されています。

日本ではFMTは、国の指定難病で約22万人の患者がいる潰瘍性大腸炎への適用が特に期待されています。現在は薬物療法や外科手術が採られていますが、いくつかの臨床試験ではFMTの有効性が示されています。

心理的な障壁とリスクを越える方法

ただし、他人の便の移植は、正常な腸内細菌叢であっても治療効果が得られないケースや、体内に入れる時に心理的な障壁があることも報告されています。移植は、多くの場合は健康な人の便の中にある腸内細菌叢を溶かした溶液を肛門から注入するので、他人の糞便を直接、体内に入れるわけではありません。けれど、嫌悪感を持つ人もいるようです。

さらに、未知の部分が多いため、予期せぬ副作用が起こるリスクもゼロではありません。19年にアメリカで報告されたＦＭＴによる死亡例は、移植された便に薬剤耐性を持つ大腸菌が含まれていたことが原因でした。また、肥満傾向がある提供者からの便を移植したら太り始めたという例もあります。近年は美容外科などで、ダイエット目的で痩せ体質の人の便を移植するケースもあるそうですが、リスクがあることは十分に知っておくべきでしょう。便の提供者にとっては病原性のない腸内細菌でも、患者側には病原性を発現する可能性もあります。

そこで注目されているのが、自分が健康な時の便を保管しておき、将来病気になってしまった時に活用する方法です。心理的な負担もなく、他人の便を使用するよりも適合しやすく、治療効果が高いと期待されています。

腸内細菌叢は「もうひとつの臓器」とも呼ばれています。ＦＭＴは、これまで投薬や手術でしか対処できなかった疾患を治療する切り札になるかもしれません。まずは、日本での研究や臨床試験が海外並みに進み、知見が積み重ねられることが大切です。

ブタからヒトへの心臓移植に見る「異種臓器移植」の可能性

【ポイント】

・世界初のブタからヒトへの心臓移植で、患者は約2カ月間、生存した
・日本は臓器提供者がアメリカの68分の1、韓国の14分の1しかいない
・動物臓器の移植はドナー不足の解決手段として期待されているが、課題は多い

ブタの心臓を初めてヒトに移植

アメリカのメリーランド大学医学部の研究チームは2022年1月、ブタの心臓を人間に移植することに世界で初めて成功したと発表しました。使用したブタの心臓は10カ所の遺伝子を改変して、拒絶反応が起こりにくいようにしました。動物の臓器を人間に移植する「異種臓器移植」は、慢性的な臓器ドナー不足の解消につながると期待されています。

移植を受けたのは、重度の心不全と不整脈で2001年から体外式膜型人工肺（ECMO）を使っていたメリーランド州のデビッド・ベネットさん（当時57）です。症状が重いため、通常の心臓移植や人工心臓ポンプの対象にならず、ブタの心臓を移植する以外の治療法では回復が見込めない状態でした。そこで、FDA（米食品医薬品局）は2021年12月31日、人道的措置として承認前の「ブタの心臓をヒトに異種移植する手術」に緊急承認を与えて、2022年1月7日にベネットさんへの手術が行われました。

研究チームは過去5年間で「ブタの心臓をヒヒに移植する手術」を約50回も行ってきました。それでも手術前に、ベネットさんは「この手術は実験的で、リスクと利益は分からない部分もある」と十分な説明を受けました。

術後2週間が経つ頃にはベネットさんの容態は安定し、術後直後は併用していたECMOを外せました。けれど、約40日後に容態は悪化し、手術から2カ月後の3月8日に死亡しました。「ブタの心臓が、予防可能であったブタ特有のウイルス（ブタサイトメガロウイルス）に感染していたことが影響した」と移植を担当したバートリー・グリフィス教授は考えています。

世界初のヒトからヒトへの心臓移植は1967年12月、南アフリカ連邦でバーナード医師によって行われました。この症例では、患者の生存期間は18日間でした。

ヒトからヒトに臓器移植する同種移植に対して、動物からヒトに臓器を移植する場合は「異種移植」と呼ばれます。研究の発展と実施の歴史を辿ってみましょう。

なぜサルではなくブタの心臓なのか

ヒトに対する異種臓器移植の研究は、１９０２年にウサギの腎臓、06年にブタの腎臓が移植された記録が残っています。ただし、本格的な研究は60年代に始まりました。

もっとも動物の臓器をそのままヒトに移植しようとしても、移植された臓器は異物とみなされて「拒絶反応」が起こります。なので、当時の異種臓器移植は、人間に近いヒヒやチンパンジーから移植するという考えでした。

世界初のヒトに対する異種心臓移植は、64年にアメリカでチンパンジーから移植されました。けれど患者は術後1時間で死亡しました。

その後も、チンパンジー、ヒヒ、ヒツジ、ブタを使って心臓、腎臓、肝臓の異種臓器移植は行われますが、結果は芳しくありませんでした。１９９０年代にもヒヒやブタの肝臓がB型肝炎患者に移植されましたが、いずれも患者は拒絶反応などで死亡しました。

研究が進むにつれ、ブタとヒトの心臓はサイズが近く解剖学的な特徴も似ていること、ブタは多胎で成長が早いために臓器調達が容易であること、移植した際に動物由来ウイルスに感染するリスクが他の動物よりも低いことなどが分かりました。そこで、ブタをヒトへの異種臓器移植に使う研究が進みました。2002年には、イギリスのバイオ企業と米韓の共同研究チームがそれぞれ、遺伝子操作によって人間の体内で拒絶を起こさない臓器移植用のブタを誕生させました。

異種臓器移植の安全性

もっとも、異種臓器移植が抱える安全性の問題は、拒絶反応だけではありません。動物由来のウイルス感染のリスクも考える必要があります。

ブタの臓器には、「ブタ内在性レトロウイルス」が存在しています。内在性レトロウイルスとは、祖先がレトロウイルスに感染し、最終的にそれが宿主の生殖細胞に入り込んで遺伝情報の一部となり、子孫に受け継がれたものです。内在性レトロウイルスは、ヒトでは全遺伝情報の約8％を占めると考えられています。たとえば、慶應義塾大学医学部先端医科学研究所の研究チームは14年に「がんの転移には、ヒト内在性レトロウイルスの『HERV-H』が重要な役割を果たしている可能性がある」と発表しています。

ブタからヒトへの臓器移植を行うことで、移植を受けた患者がブタ内在性レトロウイルスの影響も受け、がんや免疫不全などを発症したり悪化させたりするリスクが高まるのではないかとの懸念はあります。そのため、ブタの臓器のヒトへの移植の実用化に大きな一歩になったのは、17年にアメリカのeGenesis《イー・ジェネシス》社の研究チームが、遺伝子編集技術「CRISPR《クリスパー》」を用いてブタの内在性レトロウイルスを除去することに成功したことでした。

現在は各国で研究が進められ、21年にはニューヨーク大学で「脳死した54歳の女性患者の体に、遺伝子組み換えしたブタの腎臓を接続する実験」が行われました。実験は54時間続き、ブタの腎臓はヒトの血中の老廃物を除去して尿を生成しました。

臓器不足の救世主となるか

米保健資源事業局によると、2022年現在、アメリカ国内で臓器移植を待つ人は約11万人で、臓器を提供してくれるドナーは国内に約1万人（臓器移植件数は約2万件）いるものの、年間6000人の患者が臓器移植を受ける前に死亡しています。

公益社団法人日本臓器移植ネットワークによると、日本は待機数が約1・5万人で、年間ドナー数は約100人（臓器移植件数は約400件）です。臓器提供と移植に関する情報を提供する国際機関「IRODaT」の調査によると、2021年の人口100万人あたりのドナー数は、アメリカ41・88人、韓国8・56人に対して、日本は0・62人です。日本ではドナーが特に少ないため、海外渡航移植に頼る場合もありますが、移動による患者の負担や、心臓であれば数億円にもなる費用の資金調達が大きな課題となっています。

異種臓器移植はドナー不足を解決するための有望な手段と期待されていますが、安全性がクリアされても、生命倫理や社会的受容の問題が残っています。

動物の一部を人の医療に利用するものとして比較的抵抗感の少ないものに、「動物製品」があります。たとえば整形外科では、牛の骨や腱が利用されています。ヤケドの治療には、ブタの腱や皮膚に由来したコラーゲンを使った人工皮膚が使われています。心臓移植を受けたベネットさんは、十数年前にブタの組織から作られた人工の心臓弁（生体弁）の移植手術を受けました。

対して、動物の臓器そのものを使う場合は、動物が人に利用される臓器工場として育てられる生命倫理問題や、「人が動物の臓器で生かされる不自然さ」に対する感覚的な嫌悪などがあります。

今回のベネットさんの事例は、手術が成功し、死因も拒絶反応ではなかったことで、異種心移植の実用化に可能性を示しました。けれど、予想外のところで紛糾しています。

移植後にベネットさんの犯罪歴が明らかになると、インタビューを受けた被害者の家族は『もっと助かるべき患者』にブタの心臓が提供されて欲しかった」と語りました。さらに、主治医が「診療に非協力的だったため、ヒトの心臓を移植する対象とならなかった」とコメントしたことから「懲罰的に人体実験をしたのではないか」という議論もあります。

異種臓器移植は、「安全性が担保されており、足りない臓器が補える手段だ」と科学的根拠や数値で説得しても、心情的に受け入れられない人が多ければ実用化は困難かもしれません。異種移植では、動物の細胞をヒトに移植したり、iPS細胞やES細胞を使って動物の体内でヒトの臓器を作ったりする研究も進んでいます。是非や実用化の議論については、科学技術の担い手である研究者や医師だけに任せるのではなく、国民一人ひとりがリスクと利益、そして生命倫理を考えることが必要です。

第3章　地球・環境

著書『GAIA』を持つジェームズ・ラブロック博士（1991年撮影）
提供：アフロ

「ガイア理論」のラブロック博士が死去 改めて功績を振り返る

【ポイント】
- 地球を1つの生命体とする「ガイア理論」は、新学問やアートに影響を与えた
- 提唱したラブロック博士は、NASA勤務中に「地球の自己統制システム」を着想した
- 後年は地球温暖化への警鐘に力を注ぐようになり、「広い視野を持つこと」を訴えた

賛否両論だがアートにも影響

地球そのものを1個の生命体とみなす「ガイア理論」を提唱したイギリスの環境科学者ジェームズ・ラブロック博士が、2022年7月26日に亡くなりました。この日は博士の103歳の誕生日でした。

ガイア理論は、「地球の自然環境と生物が相互に影響を及ぼし合いながら、自己調節システ

ムを作り上げている」とする説です。この考え方は、後に地球システム科学、生物地球化学などの新しい学問分野を生み、文学や映画などに大きな影響を与えました。けれど非科学的な概念だとの批判も多く、毀誉褒貶《きよほうへん》の激しい理論とも言えます。成り立ちと意義を概観しましょう。

NASA勤務で着想

ラブロック博士はロンドン郊外のレッチワースに生まれました。レッチワースは、ロンドンの人口増加に伴って20世紀初頭にイギリスで最初に都市計画に基づいて作られた街として知られています。

マンチェスター大学で化学を学んだ後、ロンドン大学衛生熱帯医学大学院で医学のPh.D.（博士号）を取得。その後、アメリカのいくつかの大学で研究に従事した後、１９６１年にアメリカ航空宇宙局（ＮＡＳＡ）に就職します。博士がガイア理論を提唱したのは、ＮＡＳＡで働いていた頃です。

ＮＡＳＡでのラブロック博士の仕事は、地球外惑星の大気と地表の分析装置の開発でした。仕事を通じて、博士は火星の大気組成に興味を持つようになります。惑星に生命活動がある場合は、地球のように大気組成に影響があるはずですが、実際の火星大気は化学平衡に近い安定した状態で、生命の不在を示唆しました。

ラブロック博士はNASAに勤めたことで、惑星と生物の相互作用を強く意識するようになりました。「地球が形成されてから現在までの間に太陽の光度は30％増加したのに、生物は気候を許容できる状態にした。生物が彼ら自身の利益のために地球大気を調節したのだ」と考えた博士は、この理論を「自己統制システム」と名付けました。後にイギリスの小説家ウイリアム・ゴールディングが、ギリシア神話の大地の女神「ガイア」にちなんで「ガイア理論」と呼ぶように提案しました。

歓迎、慎重な態度、批判——理論への様々な反応

ガイア理論は1965年頃に提唱されました。博士は、この理論は、アメリカの生物地球化学者のアルフレッド・レッドフィールドとジョージ・イヴリン・ハッチンソンの研究を基にしていると語っています。「大気科学者には歓迎され、地球科学者には慎重な態度を取られて、生物学者には批判された」と博士は回顧します。実際に、『利己的な遺伝子』の作者として高名なイギリスのリチャード・ドーキンス博士やアメリカのフォード・ドゥリトル博士らの進化生物学者や分子生物学者は、「ガイア理論は目的論的で、生命の自然淘汰がどのように環境に影響を与えるのかが不明だ」と指摘しました。

やがて、ラブロック博士はドーキンス博士らの主張を受け入れましたが、「何かが地球を居

住可能に保っているのだ」という考えは変わりませんでした。そこで、1983年に大気海洋学者のアンドリュー・ワトソン博士とともに、「デイジーワールド」というモデル惑星でガイア理論を説明しようとしました。

デイジーワールドは、黒いデイジー（ヒナギク）と白いデイジーしか存在しない世界です。黒いデイジーの花びらは黒く、光を吸収します。白いデイジーの花びらは白く、光を反射します。どちらの花も生育に適した気温は同じです。

地表に降り注ぐ太陽光が極めて少ないか極めて多い場合は、気温が低過ぎたり高過ぎたりするため、どちらの色のデイジーも生育できません。デイジーが生育可能な温度で光量が比較的少ない場合は、黒いデイジーが繁殖しやすくなります。黒い花びらが太陽光を吸収するので、惑星自体も太陽光による熱エネルギーが蓄積しやすくなり、気温は上がります。さらに光量が多くなると、白いデイジーも繁殖するようになります。白いデイジーは温度を下げる働きをします。

温度が上がると白いデイジーが増えて温度を下げ、温度が下がると黒いデイジーが増えて温度を上げる。白黒のデイジーの数が調節されることによって、光量が変化しても気温はあまり変化しません。つまり、デイジーの自然淘汰によって惑星全体の恒常性が保たれるのです。デイジーがない状態の世界では、気温は光量に応じて上下するだけなので、デイジーワールドの恒常性はデイジーが作り出していると言えます。

デイジーワールドは「特殊すぎる設定で、地球との類似点が少ない」などと批判されましたが、後にウサギとキツネなど他の種を導入して拡張することによって、恒常性が強化されることが分かりました。

新たな学問分野やSF作品のヒントに

今日では、ガイア理論自体が科学的な理論として取り扱われることはありませんが、環境科学には大きな影響を与えています。拡張型のデイジーワールドは、生物多様性の貴重さを論じる際の論拠とされました。ガイア理論そのものが拡張されて目的論的な部分が排除されると、それまでは別々に研究されていた地球を構成する水圏、大気圏、地圏、生物圏、地球内部を包括的に取り扱う地球システム科学という学問が生まれました。

「地球が1つの生命体」というアイディアは、クリエイターの想像を掻き立て、文学や映画にも影響を与えました。

SF作家の重鎮であるアイザック・アシモフは『ファウンデーションの彼方へ』（早川書房、1984年）で、人間を含むすべての生物・非生物が連帯している惑星「ガイア」を登場させました。街を育てるゲームとして名高い『シムシティ』の続編として作られた、惑星を育てる

『シムアース』（1990年）は、大陸移動説、進化論とともにガイア理論に基づいて制作されました。

特撮テレビドラマの『ウルトラマンガイア』（1998～1999年）では、ウルトラマンは「地球の意志」によって生まれます。大ヒット映画の『アバター』（2009年）の舞台となる惑星パンドラでは、すべての生命体が「意識のネットワーク」で結ばれています。

「広い視野で複合的な問題に取り組むべき」

ラブロック博士は、後年は地球温暖化への警鐘に力を注ぐようになりました。80歳を過ぎても精力的に活動し、2004年に「原子力だけが地球温暖化を停止させることができる」と断言したことで、「ガイア理論」によって良好な関係だった環境保護活動家たちと袂《たもと》を分かちました。

『ガイアの復讐』（中央公論新社、2006年）では、人間による環境の収奪はガイアの調節可能な範囲を既に超えてしまったと主張し、ただちに対処したとしても悪化の速度を緩めることくらいしかできず、もはや回復は望めないと悲観しています。博士は、『ガイアの復讐』により文明が崩壊した後に生き残る術を子孫に語り伝える用意をすべきだ、との見解も示しています。

近年は精神論や新興宗教のように扱われる「ガイア理論」ですが、ラブロック博士はイギリスで最も尊敬されている科学者の1人に数えられています。英サウサンプトン大学のトビー・ティレル教授（地球システム科学）は、「ガイア理論自体は否定しながら、同時にラブロック博士の独創性と視野の広さは高く評価している。ガイア理論は、地球を理解するためには総合的な大きな視点が必要であることを示している」と語っています。

ラブロック博士は20年に受けたAFP通信のインタビューで「新型コロナウイルスの大流行への対応を迫られる中で、世界は広い視野を失った。より大きな問題である地球温暖化への対策に注力するべきだ」と述べて、不興をこうむりました。けれど、1つの災いだけでなく、地球を見回して複合的な問題点に取り組むべきだというメッセージは、私たちも真摯に受け止めるべきでしょう。

地球内核の回転スピードが落ちている？自転と「うるう秒」の謎にも関連

【ポイント】

・うるう秒が起こる原因は、地球の自転速度にムラがあるからである

・1日の長さは、内核の不規則な回転速度に影響されていると考えられている

・地球深部の状態は、地震波の観測でしか推定できないため、解明が難しい

地球の中心は浮かんでいる

地球内部は、ゆで卵のような構造をしています。

私たちは卵の殻にあたる「地殻（プレート）」の上で生活しています。半径約6400㎞の地球で、地殻はわずか5〜70㎞です。薄い地殻の下にあるのが、白身にあたる「マントル」で、地下2900㎞までを高温で柔らかい岩石が占めています。マントルに包まれているのが黄身にあたる半径約3500㎞の「核」で、液体の外核と固体の内核に分かれます。地球の最奥部の内核は月の大きさの75％の直径を持ちます。熱い液体に浮かぶ鉄球のような構造をしているので、地球の自転とは異なるスピードや方向で回転することも可能です。

北京大学の研究チームは、地震波の測定から「過去10年間で内核の回転が止まり、さらに逆回転している可能性がある」と指摘しました。研究成果は、2023年1月23日付の「Nature Geoscience」に掲載されました。

1日の長さの調整方法である「うるう秒」が起きる原因にも、内核の「自転とは異なる回転」が関わっていると考えられています。「地球の中心と時間の謎」を紹介しましょう。

午前8時59分60秒

地球は、太陽の周囲を365日で公転し、北極点と南極点を結ぶ地軸を回転軸として24時間で自転しています。

もっとも、地球の公転周期は、正確には365・2422日（365日5時間48分46秒）です。そのため、4年に1度のうるう年を設けて、2月に1日、「うるう日（2月29日）」を足しています。さらに細かいずれを補正するために、「うるう年は100で割れる年には導入しないが、400で割れる年には導入する」というルールもあります。

「うるう日」と似た名前のものに、「うるう秒」があります。1972年の第1回から2017年の第27回までは、1月1日か7月1日の午前9時(日本時間)の前に午前8時59分60秒を特別に設けて、1秒足して実施しました。

うるう秒は、1年の日数を調整して公転周期を補正するうるう日とは異なり、1日の長さを調整して自転周期を補正するものです。

紀元前2世紀、ギリシアの天文学者ヒッパルコスは、「1日の昼と夜を平等に24分割する」ことを最初に唱えました。後に、その60分の1が1分、さらに60分の1が1秒となりました。けれど、300年に1秒の誤差しか生じない高精度の「セシウム133原子時計」が1955年にイギリスの国立物理学研究所(NPL)で開発、実用化されると、実は地球の回転速度にはムラがあり、1日の長さは一定ではないことが分かってきました。

そこで、「地球が1回転するのにかかる時間(1日)」について、原子時計を基準とする高精度な測定時間(協定世界時、略号:UTC)と、天体観測による従来の24時間(世界時、略号:UT1)の差が、0・9秒を上回ったり下回ったりした際に、協定世界時にプラスマイナス1秒して補正することにしました。これまでの27回のうるう秒では、すべて1秒足す補正を行っています。

1日の長さが変わるのは内核のせい？

うるう秒が起きる、つまり1日の長さが変わる原因は、いくつかあります。

一つは、月の潮汐力と考えられています。月の引力で、海水と海底の間に摩擦が起こると、地球の自転速度はだんだんと遅くなります。ただし、100年間で1・8ミリ秒（1ミリ秒は1000分の1秒）程度と換算されており、月の潮汐力だけでUTCとUT1が0・9秒ずれるためには、5万年かかる計算になります。

国立天文台によると、1990年頃には、地球は24時間より約2ミリ秒長くかかって1回転していましたが、2003年の自転速度は24時間プラス約1ミリ秒でした。03年のほうが、むしろ自転速度は速くなっているのです。この現象を説明する有力なものが「自転とは異なる内核の回転速度」です。

96年にコロンビア大学のポール・リチャーズ博士とシャオドン・ソン博士は、地震波の移動時間がマントルと内核では異なることから「地球の内核はマントルよりも速いスピードで回転している」とする論文を、英科学総合誌「Nature」に発表しました。この時点では、内核の回転速度は具体的に示されませんでしたが、05年に同じ2人によって、「内核は、それより外側の部分よりも1年で0・3〜0・5度速く回転している」と試算されました。

その後、他の研究者らから「内核は自転と同じ方向に常に自転速度よりも速く回転しているのではなく、外核やマントルの粘性の影響で回転が反転する場合があるのではないか」という指摘がありました。

地球深部の観測は地震を使う

南カリフォルニア大学のジョン・ヴィデール博士らの研究チームは22年、ソビエト（71～74年）とアラスカ（69～71年）で行われた地下核実験を用いて、内核の運動について分析しました。地下核実験では、地震のように地球深部まで伝搬する巨大な振動が発生します。しかも、実施の地点、時刻、強度に関する正確な記録があるため、地球内部の精密なデータを得ることができます。

すると、内核は69年から71年にかけて徐々に減速していき、その後の71年から74年では回転方向が逆転していたことが分かりました。これは、地球の自転速度が、不規則に速くなったり遅くなったりして、1日の長さが伸びたり縮んだりする事実を説明できるものでした。

もっとも内核の回転速度は直接測定できないため、すべての研究者が「自転速度の変化の内核由来説」に同意しているわけではありません。内核での地震波の変化は、外核と内核の境界の局所的な変形に起因すると考える研究者もいます。

今回、北京大学の教授となったシャオドン・ソン博士らの研究チームは、90年代と00年代に発生した地震波データを調べました。その結果、09年以降は、それまでは内核部分で変動していた地震波の移動時間にほとんど変化がなくなっていたことから、過去10年間は内核の独自の回転がほぼ停止し、マントルと同じ速度で回転している可能性が示唆されました。同じ結果は地球全体で観測されたため、研究チームは内核表面の局所的な変形による現象ではないと主張しています。

さらにソン博士らは、60~70年代の地震データと比較したところ、内核の回転は約70年の周期を持ち、約30年ごとに回転の向きを変えていた可能性があると提唱しています。これは、地球の磁場や1日の長さが70年周期を持っていることにも関連していそうだと言います。

内核の回転は、外核の流体運動によって発生する磁場で推進され、マントルとの重力効果でバランスを取っていると考えられています。もっとも、内核が特別な回転を停止したとしても、災害に直結するわけではないと研究者らは語ります。

私たちが日々意識している1日の長さには、金属球である内核が深く関わっているようです。最近では、地下核実験は国際的な批判があるため行われません。地球深部の研究を進めるためには、予測できない地震の発生に頼らざるを得ず、この先の進展には時間がかかるかもしれません。けれど、今後、内核の研究が進めば、地球内部が地球表層の気候や生命体にどのように影響を与えているかも、知ることができるかもしれません。

世界最大「謎」のカットダイヤモンドが競売にかけられる

【ポイント】

- **世界最大のカットダイヤモンド「エニグマ」が316万ポンドで落札された**
- **エニグマのカットは中東の護符にちなんで「5」にこだわって行われた**
- **エニグマはカーボナード（黒ダイヤ）で、地球外鉱物が含まれている可能性が高い**

謎のダイヤモンドが世界一珍しい理由

国際競売会社サザビーズは、2022年2月に世界最大のカット済みダイヤモンドのオークションを行いました。316万ポンド（当時のレートで約4億9000万円、手数料は除く）で落札されたダイヤモンドは、555・55ct《カラット》（111・11g）の黒色の宝石で、「エニグマ（The Enigma：謎）」と名付けられています。約20年前から存在は知られていましたが、ずっと個人に所有されていました。競売に先駆けてドバイ、ロサンゼルス、ロンドンで公開されましたが、このダイヤモンドが公開されるのも販売されるのも、今回が初めてです。

エニグマは重量と起源という２つの理由から「最も珍しいダイヤモンドである」と言っても過言ではありません。

まず、原石からカットと研磨をした後の５５５・55ctという重さは、歴代のダイヤモンドの中で最重量です。つまりエニグマは世界最大のカット済みダイヤモンドということになります。これまでの世界最大は、５４５・67ctの「ザ・ゴールデン・ジュビリー」でした。

ザ・ゴールデン・ジュビリーは１９８５年に南アフリカで発掘された７５５・５ctの原石からカットしたもので、オレンジ色がかった濃い茶色をしています。原石から取り出す際は、ダイヤモンド研磨師であるガビ・トルコフスキー氏が新しく考案したファイアー・ローズ・クッション・カットを施し、それまで世界最大だった「カリナンI」よりも重くなるように注意深く磨かれました。約3年かけて研磨し終わると、カリナンIよりも15・47ct（約3g）重くすることに成功しました。その後、１９９７年にタイの実業家らからタイ国王のラーマ９世にゴールデン・ジュビリー（即位50周年）記念として献上されました。

カットで決まるダイヤモンドの価値

ダイヤモンドのカットと研磨は、自由にデザインできるわけではありません。ダイヤモンドには割れやすい方向があるので、通常はそれを活かして原石から最大限に宝石が取り出せるようにカットします。

さらに、ダイヤモンドは輝かなければ価値がありません。

たとえば、婚約指輪用のダイヤモンドでおなじみのラウンド・ブリリアント・カットは、ザ・ゴールデン・ジュビリーをカットしたガビ・トルコフスキー氏の親族であるマルセル・トルコフスキー氏が1919年に考案したものです。ダイヤモンドを58面にカットして、上面から入った光は内部で反射して、すべての光が上面に戻るように設計されています。

世界最大級のカット済みダイヤモンドを意図して狙う場合は、原石からの歩留まりと割れやすい方向、輝きの強さのバランスを取りながらカットデザインを決めます。

では、エニグマはどのようにカットされたのでしょうか。

今回、サザビーズに出品する持ち主は、原石で手に入れてカットを依頼する時に「お守りとして意味を持たせる」ことにこだわりました。中東の護符である「ハムサ（ミリアムの手）」をモチーフに、原石を55面、555・55 ctにしたいと希望します。ハムサは「人間の手の5本指」のシンボルです。

研磨には約4年かかりましたが、ザ・ゴールデン・ジュビリーよりもさらに9・88ct（約2g）重い、予定どおりのデザインと重量を持った世界最大のカット済みダイヤモンドが誕生しました。エニグマは2006年に、世界最大のカット済みダイヤモンドとしてギネス世界記録に認定されました。

地球外からやってきた？

次に、エニグマの起源を見てみましょう。

価値の高い宝石は、販売前に必ず鑑別されます。鑑別とは、宝石の種類を調べたり、天然か人工かなどの特徴を明らかにしたりすることです。大手の宝石鑑定鑑別機関であるGIA（米国宝石学会）は、エニグマはカーボナード（黒ダイヤ）であると鑑別しました。

婚約指輪でなじみ深い、無色透明でキラキラと光るダイヤモンドは、単結晶（1つの宝石が1つの結晶でできている）です。地下のマントルで高温高圧の条件で生成され、キンバーライトという特殊な岩石に捕獲されて地表まで運ばれます。ダイヤモンドは理論的には炭素だけでできていて無色ですが、一部の炭素が窒素と置き換わると黄色くなったり、結晶構造に歪《ゆが》みが生じるとピンク色になったりします。

一方、カーボナードは多結晶のダイヤモンドです。1つの宝石の中には、ダイヤモンドの微細な結晶が集合しています。カーボナードは地表近くの堆積物の中から見つかることが多く、どこで生成されたかは未だにはっきりとは分かっていません。詳しく分析すると、隕石のみに見られる鉱物のオスボルナイト（窒化チタン）を含んでいることが多く、カーボナード自体が地球外からやってきた、あるいは地球に隕石が衝突することで作られ、オスボルナイトが不純物として入り込んだと考えられています。

カーボナードも理論的には炭素のみでできていますが、ダイヤモンドとは異なって色は黒や茶色、灰色のものがほとんどです。産出量が少なく希少価値がありますが、無色や魅力的な色のダイヤモンドと比べると宝飾品としてはあまり需要がなく、高価では取り引きされません。けれど、天然のカーボナードを模してダイヤモンドの微小結晶を焼結させた人工素材（PCD：polycrystalline diamond）は工業用カッターとして重宝されています。ダイヤモンドの単結晶には割れやすい方向がありますが、多結晶にすると微小結晶内で割れが収まるため耐久性に優れるからです。

お値打ち価格で落札か

カーボナードは、ブラジルと中央アフリカ共和国が2大産地です。エニグマの産地は発表されていませんが、どちらかの国で発見された可能性が高いです。

これらの2つの土地は10億年以上前にはつながっていて、ロディニア大陸という超大陸の一部でした。なので、超大陸時代にこの地域に隕石が落下して、隕石内のカーボナードが地表にばらまかれたか、衝突をきっかけに地表にカーボナードが作られて隕石に含まれていた鉱物やガスを取り込んだと考えられています。

サザビーズのジュエリー担当者で、ロンドンのセールス代表のニキータ・ビナーニ氏は「エニグマは宝石以上の存在であり、宇宙の神秘を手に入れるチャンスだ」と宣伝しました。同社ではカーボナードは過去に1ctが1万ポンド（当時のレートで約150万円）以上で取り引きされたと言い、エニグマ・ダイヤモンドの落札予想価格は500万ポンドを超えると強気の予想をしていました。

サザビーズでのダイヤモンドの最高落札価格は、2015年に記録した4863万4000スイスフラン（当時のレートで約59億5000万円）です。この時にオークションにかけられたのは、最高品質の12・03ctのブルーダイヤモンドでした。

それと比べると46倍の重さで世界最大の称号もあり、地球外鉱物オスボルナイトが含まれている可能性が高いエニグマが316万ポンドで落札されたのは、「お値打ち価格」と言えるのかもしれません。

知床海難事故、宮古島陸自ヘリ墜落事故で注目「飽和潜水法」とは何か？

【ポイント】

- **飽和潜水は深海に適した潜水法で、知床海難事故、陸自ヘリ墜落事故の捜索でも使われた**
- **潜水の歴史は、素潜りによる魚介類や真珠やサンゴの採集に始まる**
- **スクーバダイビングでは、深く潜るほど窒素中毒や酸素中毒、減圧症のリスクが高まる**

知床半島沖事故と宮古島陸自ヘリ墜落事故で実施

2022年4月23日、強風にもかかわらず出航した観光船「KAZUI《カズワン》」は、北海道・知床《しれとこ》半島沖で沈没し、乗員・乗客合わせて26名全員が死亡・行方不明となりました。水深約120mの海底に沈んだカズワンは、「飽和潜水法」で捜索されました。

一方、23年4月に陸上自衛隊の多用途ヘリコプターが宮古島沖で墜落し、乗員10名全員が犠牲となった航空事故でも、水深106mにある機体からの遺体引き揚げ作業に飽和潜水法が用いられました。

飽和潜水法と通常の潜水法の違いや、潜水法の開発史について概観しましょう。

『魏志倭人伝』に日本の海女が登場

人類は、潜水をはるか昔から行ってきました。古代メソポタミアの遺跡から真珠貝の象嵌細工が見つかっていることから、紀元前4500年には息をこらえて潜る「素潜り漁」をしていたと考えられています。空気の補給を伴う潜水の古い記録は、アッシリアの兵士がヒツジの皮袋に入った空気を吸いながら水中で敵を攻めている絵画で、紀元前820年頃のものです。

水上から空気を送って潜るヘルメット式潜水器は1820年にイギリスのゴーマン・シーベが発明しました。空気タンクを身につけるスクーバダイビングは、1943年に圧縮タンクの空気を潜水者が呼吸できるレベルに減圧する「レギュレーター」が開発されて生まれました。

日本では、『魏志倭人伝』(285年)に海女《あま》によるサンゴや魚介類の素潜り漁が描写されています。その後、江戸時代末期まで素潜りの時代が続き、明治5年(1872)に海軍工作局でヘルメット式潜水器の製造が開始しました。スクーバダイビングは、第二次世界大戦後の1945年頃に日本を含めた世界中に広まります。

スクーバダイビングの限界

スクーバダイビングの潜水限界は、訓練を積んでも水深約50〜60ｍです。水深約30ｍで「窒素酔い（窒素中毒）」、約57ｍで「酸素中毒」が起こり、さらに潜水深度が深ければ深いほど浮上時に「減圧症」のリスクが高まることなどが理由です。

窒素酔いは3〜4気圧以上の窒素を摂取した時に起こります。水深約30ｍで、空気タンクの窒素分圧は約4気圧になります。アルコール中毒や麻薬摂取に似た「多幸感」が特徴で、症状がよほど重くならない限りは直ちに命に危険を及ぼすものではありませんが、判断力の低下などが潜水事故につながる恐れがあります。

酸素中毒は一般的には酸素分圧が1・4気圧を超えると生じるとされ、これは水深約57ｍで空気を吸い込んだ時と同等の圧です。症状は、めまい、痙攣《けいれん》、嘔吐、視野狭窄《きょうさく》などで、潜水中の酸素中毒では約10％の患者が全身痙攣または失神のために溺れると言われています。

また、潜水可能時間は水圧に反比例します。陸上での1気圧に水深10ｍにつき1気圧が足されるため、水深10ｍなら2気圧、50ｍならば6気圧となります。50ｍまで潜れば10ｍの時の3分の1の時間しかタンクの空気はもちません。しかも、深くまで潜った時ほど、浮上時に血中に溶けていた窒素が気泡となって血管や臓器を傷つけたり詰まったりする「減圧症」のリスクが高まります。予防のためには浮上に時間をかけなければならず、深海での活動可能時間はさらに減ります。

体内の気体を飽和状態にして安全に潜る

知床半島沖海難事故や自衛隊ヘリ墜落事故の捜索で注目された「飽和潜水」は、人が深海の水圧下で身体をさらして活動するための技術です。

スクーバダイビングでは、一定以上の深さになると、タンクの高圧空気を呼吸し続けることで体内組織に通常以上に気体が溶け込み、中毒や減圧症を引き起こしました。そこで、体内への気体の溶け込みは、ある一定量（飽和）を超えるとそれ以上は行われないという原理を利用して、あらかじめ体内にヘリウムなどの不活性ガスを飽和状態になるまで吸収させておく「飽和潜水」が考案されました。この方法では、潜水時に体内に過剰な窒素が入る余地がほとんどなくなるので、水深100m以深でも安全に潜水できるようになります。

飽和潜水の手順は、まず潜水前に船上にある加圧タンクに入り、深海の高い圧力をかけた状態で一定期間を過ごします。次に、潜水用のカプセル（水中エレベーター）で加圧したまま降下し、目的の深さで潜水士は外に出ます。深海の作業は、高圧だけでなく、低い水温にも耐えなければなりません。潜水士たちが着る特殊なスーツには、潜水カプセルからホースで温水が送り込まれ、身体や呼吸用の空気を暖めます。

飽和潜水の実施状況

知床半島沖事故で行われた飽和潜水では、1日かけて加圧状態にした2名の潜水士が1時間半にわたって沈没船を調査しました。ドアを開けるなどの動作は水中ドローンなどの機械では行えないため、人力が必要でした。潜水士は作業後に再び加圧タンクに入り、水深120mならば1週間ほどかけて少しずつ圧力を減らして、身体を元の状態に戻します。

飽和潜水は、原理的には水深700m以上潜ることも可能と言われています。世界で最初の飽和潜水は1938年に行われ、開発は欧米の海軍が主導してきました。フランス海軍と仏マルセイユ開発会社が共同で実施したハイドラ計画では、88年に6人のダイバーが水深534mの潜水に成功しました。92年には陸上施設で、3人のダイバーが水深701m相当の加圧を受けました。

もっとも、現在は水深180m以上では、ダイバーがヘリウム/酸素混合ガスを呼吸している間に急速に加圧された場合、神経筋や脳の異常が現れる未解明の高圧神経症候群が生じる場合があることが知られています。近年では、飽和潜水の深度への挑戦は鳴りを潜め、2000年のロシア海軍の原子力潜水艦「クルスク」事故（水深108m）、01年の北朝鮮工作船の引き揚げ（水深90m）などの比較的浅い深度での活動に用いられています。

さらに進化した次世代潜水

飽和潜水よりもさらに安全と考えられている「次世代潜水」が、大気圧潜水服による潜水です。身体を1気圧に保てる金属製の装甲服で覆い、推進装置もついている、いわば「コンパクトな1人用潜水艦」で、最大700mまでの深さに何時間も潜れます。減圧する必要がなく、飽和潜水で用いる呼吸用の混合ガスも使用しないため、窒素中毒、酸素中毒、減圧症、高圧神経症候群などの危険性はほとんどありません。

アメリカ海軍とカナダのオーシャン・ワークス・インターナショナル社の開発したADS2000は、潜水艦事故の救助用に開発されたアルミニウム合金製の大気圧潜水服です。減圧症の心配がないため、水深600mに20分で降下して、6時間作業し、20分で浮上することができます。船上でダイバーを交代しての潜水服を引き継ぐことも容易です。アメリカ海軍では、乗員100名超の原子力潜水艦の事故に対応できる救難システムと位置づけています。

大気圧潜水服は、海外ではすでに商用利用されており、石油や天然ガスの採掘現場やパイプラインのメンテナンスで活躍しています。知床や宮古島の事故での飽和潜水士の活躍を見るにつけ、より安全な大気圧潜水服の日本の現場への早期導入が願われます。

花見に迫る危機
60年寿命説、地球温暖化

【ポイント】
・かつては花見と言えば「梅花を観賞する宴」で、桜の花見は平安時代に始まった
・現在、日本中で見られる〝染井吉野〟は、「寿命60年説」が根強く唱えられている
・地球温暖化の影響で、2100年には全国一斉開花というシミュレーションもある

桜の開花時期は早くなっている

花見は、四季の変化に富む日本で春の訪れを愛でる伝統的な行事です。近年はコロナ禍の影響で花見の宴会はままならぬ状況でしたが、桜は今年も全国で開花し、人々の目を楽しませました。

開花を伝える桜前線は例年、3月末頃までに東京あたりまで北上し、4月下旬から5月下旬に北海道まで到達します。

2023年の桜は、全国で平年並みから最大で16日早い開花日（各地の標本木で5～6輪以上の花が開いた状態となった最初の日）を記録しました。ちなみに満開日は、東京では開花のおよそ7～10日後で、標本木の約80％以上のつぼみが開いた最初の日を指します。

東京の標本木は靖国神社にあり、23年は1953年の統計開始以来、20年、21年と並んで観測史上最も早い開花日（3月14日）でした。日本列島全体でも、ソメイヨシノ種の開花は都心が最も早く、前年と比べると6日、平年よりも10日早い記録となりました。日本気象協会や気象台によると、12月、1月が寒かったこと、3月に入って暖かい日が続いたことが、平年より早く咲いた原因と考えられるとのことです。

桜の花見は平安時代から

花見の起源は、奈良時代の貴族が中国から伝来した梅の花を観賞したことにあると言い伝えられています。かつては、日本に古くからある桜よりも、中国産の珍しい花である梅を愛でて宴を開くことが一般的でした。

現在の元号「令和」の由来は、日本最古の歌集である『万葉集』であると知られています。巻五には約1300年前に詠まれた「梅花の歌三十二首」が収められており、序文である「初春の令月にして気淑く風和らぎ梅は鏡前の粉を披き蘭は珮後の香を薫らす」から引用されました。この序文は、「梅花の宴」を開いた当時の大宰府《だざいふ》長官、大伴旅人《おおとものたびと》が認《したた》めたものです。

万葉集には桜を詠んだ歌も収録されていますが、桜の花見が始まったのは平安時代と考えられています。『日本後紀』には、嵯峨天皇が弘仁3年（812年）に京都の神泉苑で「花宴之節《かえんのせち》」を催したと書かれています。記録に残る最古の「桜の花見」です。

平安時代中期には、桜の花見はさらに一般的になります。文学作品でも『源氏物語』には宮中で桜を愛でて宴を開く様子が描かれ、『古今和歌集』には桜の名所として吉野が登場します。3万本あると言われる吉野の桜は、ほとんどが日本固有種である野生のヤマザクラです。

鎌倉時代になると、花見は武士や町人にも広まり、寺社などにも桜が植えられるようになりました。源頼朝《みなもとのよりとも》や室町時代の足利《あしかが》将軍家も花見を行った記録がありますが、戦国時代や安土桃山時代になると大々的な花見の宴を開く武将が現れます。特に盛大だったのは、豊臣秀吉《とよとみひでよし》が文禄3（1594）年2月27日（新暦4月17日）に開いた「吉野の花見」です。総勢5000人の参加者には徳川家康《とくがわいえやす》、前田利家《まえだとしいえ》、伊達政宗《だてまさむね》らの武将や茶人、連歌師らが含まれており、吉水《よしみず》院（吉水神社）を本陣として5日間開催されました。

一方、庶民の間でも、桜は古くから特別な花でした。農民たちは桜の開花時期で農作業を始める目安にしたり、咲き方で豊作・凶作を占ったりするなど、生活に根差した樹木として大切に扱ってきました。

江戸時代になると都市部の町民文化が発展し、花見は桜を愛でる風雅な行事というよりも酒盛りを楽しむ娯楽として広がります。植木職人によって桜の交配や改良も盛んに行われるようになり、江戸時代末期には、エドヒガンとオオシマザクラを掛け合わせた（種間雑種の）ソメイヨシノが誕生します。

日本中の〝染井吉野〟は病弱で早逝？

ソメイヨシノは、花とともに赤色の葉をつけるヤマザクラとは異なり、花の時期には葉をつけません。花は大きく、成長スピードは速く、枝が横に大きく広がって見た目が華やかなため、明治時代以降に急速に広まります。

現在は、本州の桜の名所に植えられている品種は、ほとんどがソメイヨシノかつ〝染井吉野〟です。カタカナのソメイヨシノはオオシマザクラとエドヒガンの種間雑種全体の名称で、漢字の〝染井吉野〟は日本全国に接ぎ木で広がった特定の栽培品種を指します。つまり、日本中の〝染井吉野〟は同じ遺伝子構成（クローン）です。

近年は、「〝染井吉野〟60年説」などとともに「桜の名所の危機」も話題になることがあります。

成長が速い〝染井吉野〟は年輪が疎になりがちで、樹木の強度が低いにもかかわらず横に広がります。風を受ける面積が大きいため台風などで折れやすく、折れたところから腐食してしまうことが多いのです。さらに、桜の名所作りのために密集して植えられることも多く、樹木1本について本来必要な光、水、養分が得られる面積を与えられなかったり、多くの花見客に根元を踏みつけられて傷を負ったりしがちです。しかも、もともと病気に弱い品種にもかかわらずすべてがクローンなので、カビが原因の「てんぐ巣病」などが起きると近くの〝染井吉野〟全体に病気が広がり、一気に枯死するおそれがあります。

〝染井吉野〟には、樹齢30～40年が樹勢のピークで、50年を超えると幹の内部が腐り、およそ60年で寿命を迎えるという説があります。

かつては「桜切るバカ、梅切らぬバカ」という言い伝えがあり、枝の切り口からの腐食を防ぐために、桜は剪定しないことが常識でした。けれど、東北屈指の桜の名所である弘前城では、1960年頃から同じバラ科樹木であるリンゴの栽培技術を応用して、積極的に城内の桜を剪定しました。すると、300本以上の樹齢100年を超える〝染井吉野〟の古木が今も花を咲かせ、樹勢を保つことに成功しました。剪定だけでなく、土の入れ替えや肥料の与え方にも工夫した「弘前方式」は全国に伝わり、寿命を延ばした〝染井吉野〟が各地にあります。

一方、樹齢60年近くなった〝染井吉野〟から、病気に強い後継品種の桜への植え替えをする自治体もあります。

東京都国立市のさくら通り（全長1・8㎞）には、1960年代に209本の〝染井吉野〟が植えられましたが、2010年頃からてんぐ巣病などによって幹が空洞になったり、強風で倒木したりするものが目立ち始めました。市は2013年から、てんぐ巣病になりにくい桜の品種「ジンダイアケボノ」に植え替えを進めました。

桜の名所づくりを進める公益財団法人「日本花の会」は、これまでに200万本以上の〝染井吉野〟の苗木を提供してきましたが、最近は病気に強いジンダイアケボノとコマツオトメへの植え替えを推奨しています。

2100年には九州から東北までいっせいに開花する？

桜の名所の危機の原因は、樹木の寿命だけではありません。九州では、すでに地球温暖化による暖冬の影響で、開花が遅れたり満開まで時間がかかったりする年があります。

桜の花芽（蕾）は前年の夏に作られ、冬の前に成長を止めて休眠状態になります。その後、冬に一定期間の低温（概ね3℃から10℃前後）にさらされると休眠から目覚め（休眠打破）、そこからは気温の上昇とともに成長します。休眠打破のために必要な低温期間が足りないと、開花はかえって遅れます。そのため、2020年以降、九州では4年連続で北部から南部に桜前線が進む逆転現象が起きています。

加えて、近年は、「満開までに時間がかかる」現象もみられるようになりました。満開の定義は「標準木の80％の花が一斉に咲いている状態」なので、休眠打破がうまく進まないと花芽の成長の個体差が顕著になって、なかなか80％に達しない状況に陥ると考えられています。

九州大学名誉教授の伊藤久徳氏は、2009年の地球温暖化シナリオを使って2100年までの桜の開花についてシミュレートしました。その結果、日本周辺の気温を平均で2〜3℃程度高く設定すると、東北地方で桜の開花が今より2〜3週間早まり、九州などでは1〜2週間遅くなる——すなわち、3月末頃に九州から東北まで、〝染井吉野〟がいっせいに開花するという計算になりました。

さらに、種子島や鹿児島の一部では〝染井吉野〟は開花せず、九州南部や四国南西部、長崎、静岡などでは1本の木で開花がダラダラと続いて満開にならないという結果が出ました。

2100年に日本人は花見をできるのでしょうか。地球温暖化を軽減し、あるいは桜の休眠打破をもコントロールできるようになって、平安時代から変わらぬ春の宴を開いていることを期待しましょう。

国内唯一の地質時代名「チバニアン」の成り立ちと意義

【ポイント】

・「チバニアン」は地質時代の名称で、日本の地名で初めて採用された
・チバニアンはマンモスがいた時代で、その後半にはホモ・サピエンスが誕生した
・直近の地球磁場の反転が起きた時期で、磁場反転の過程や生物の適応の解明が期待される

地球史に日本の地名を刻む

日本の歴史には、平安時代、江戸時代といった時代区分があります。同じように、地球の46億年にわたる歴史を、誕生から現在まで117（2023年8月現在）に区分する「地質時代」という考え方があります。

2020年1月、まだ名前のなかった地質時代「77万4000年〜12万9000年前の『新生代第四紀中期更新世《こうしんせい》』」に対して、日本の地名が初めて採用されました。名前は「チバニアン（千葉時代）」です。

2022年5月には、地質時代の名に採用されるきっかけとなった千葉県養老渓谷にある地層「千葉セクション」（市原市田淵）に、「国際標準模式地」（GSSP）と認定されたことを示す円形のプレート「ゴールデンスパイク」が設置されました。国際的に重要な地層であることが改めて告知された格好です。

GSSPとは、国際地質科学連合（IUGS）が地質学上の世界的な基準地として認めた場所です。

世界各地には、短い間で形態が変わった生物の化石など、地質時代の境目となる情報が多く残っている地層があります。ある地質時代について、境界や層序《そうじょ》が地球上で最も観察・研究しやすい場所がGSSPとして認定されると、その土地の名前に因んで地質時代が名付けられます。今回、チバニアンはその一つとして、地球史に名を刻みました。

チバニアン命名までの道のり

地質時代の区分の定義や名称は絶えず見直されています。

更新世の前期と中期の境界は約77万年前で、これまでで最後の地球の磁場逆転が起きた時期にあたります。チバニアンの命名前は、この境界のGSSPは決まっていませんでした。

そこで、茨城大学の岡田誠《おかだまこと》教授、国立極地研究所の菅沼悠介《すがぬまゆうすけ》准教授、千葉大学の亀尾浩司《かめおこうじ》准教授、国立科学博物館の久保田好美《くぼたよしみ》研究員を中心とする22機関32名からなる研究グループは2017年6月、千葉セクションがGSSPに認定されるよう、国際地質科学連合の専門部会に提案申請書を提出しました。

この境界のGSSPとして認定されるためには、いくつかの推奨条件が提示されていました。特に、①海底下で連続的に堆積した地層であること、②地層中に、これまでで最後の磁場逆転が記録されていること、③地層の堆積した当時の環境変動が詳しく分かること、この3つが重要な条件で、千葉セクションはクリアしていました。当時は、イタリア・バジリカータ州マテーラ県の「モンタルバーノ・イオーニコセクション」、イタリア・カラブリア州クロトーネ県サン・マウロ・マルケザートの「ヴァレ・デ・マンケセクション」も、同じ境界のGSSP候補に挙がっていました。

研究者たちは千葉セクションが選出されるように、過去70年にわたる研究成果（ほとんどが日本語で書かれていたため、海外の研究者は読めなかった）をまとめたレビュー論文を国際学術誌に発表したり、千葉セクションに記録される地磁気逆転の年代を高精度で決定したりするなど、精力的に研究成果を出して後押ししました。

国際地質科学連合の下部組織にあたる国際層序委員会（ICS）の事前審査を経て、同連合は20年1月17日の理事会で審査を行い、千葉セクションをGSSPに認定しました。地質時代の名称は、提案書に記載されたとおり、ラテン語で「千葉の時代」を意味する「チバニアン」となりました。

余談ですが、地質年代表を見ると、新生代新第三紀中新世の2303万年前～2044万年前の時代に「アキタニアン」の記載があることに気付く人もいるでしょう。こちらは残念ながら、秋田県ではなくフランスのアキテーヌ地方から名付けられています。また、国際地質科学連合は20世紀半ば以降を新たな地質時代の区分「人新世」とすることを検討しており、別府湾がGSSPの候補になっていましたが、23年7月に落選しました。当選すれば「ベップワニアン」と名付けられる予定でした。

地球カレンダーでは12月31日22時31分に開始

チバニアンは、どのような時代だったのでしょうか。

地球の歴史を1年のカレンダーに見立てた「地球カレンダー」では、1月1日午前0時（約46億年前）に地球が誕生すると、1月5～6日頃に月が地球から分離します。生命の素材となるタンパク質や核酸が現れたのは、2月中旬頃（約40億年前）と考えられています。最初の生命が2月下旬（約39億年前）に登場すると、7月上旬（約22億年前）に細胞に核を持つ真核生物が登場します。

時代が進み、恐竜が出現するのは12月13日（約2億3000万年前）、現在のメキシコ・ユカタン半島付近に巨大隕石が衝突して、恐竜などが大量絶滅したのは12月26日（約6600万年前）です。

チバニアンは、12月31日22時31分34秒に始まり、23時45分16秒に終わります。生物でいうと、マンモスやネアンデルタール人がいた時代で、チバニアン後期である約30万年前（23時37分）には現生人類の祖先であるホモ・サピエンスが現れます。

直近の地磁気反転の精密な年代が分かる

チバニアンを象徴する地層「千葉セクション」に残された地磁気反転とは、どんな現象だったのでしょうか。

地球は、1つの巨大な磁石に例えられます。棒磁石のように地球にもN極とS極があり、地球の周りに磁力の世界「磁場」を作っています。これを地磁気と言います。

地磁気は、北極と南極を結んで、宇宙空間に半径6万km以上の磁気圏を作っています。地球の大気や水の宇宙空間への拡散を防ぎ、宇宙空間から降り注ぐ放射線（宇宙線）や太陽からの紫外線を減らして、生命を守る役目も果たしています。

地球誕生から46億年の間に、N極とS極は何度も入れ替わっていることが知られています。現在は北極がS極で南極がN極です。磁石は異なる極どうしが引き合うので、方位磁針のN極は北、S極が南を向きます。

過去360万年間では、地磁気は少なくとも11回反転したと考えられています。反転の間隔は一定ではありませんが、世界で同時に起こります。また、世界各地の地層に残る痕跡から、瞬時に反転するのではなく数千年かけて磁場が変わることが知られています。

地磁気反転の研究は、20世紀初頭にフランスの地球物理学者ベルナール・ブリュンヌや京都帝国大学の松山《まつやま》基範《もとのり》教授らによって始められた新しい学問です。東北大学地質学古生物学教室の中川《なかがわ》久夫《ひさお》教授らは、1969年に「房総半島新生代地磁気編年」で、上総《かずさ》層群国本《こくもと》層内に直近の地磁気反転の痕跡が残されていると発表しました。

その後、千葉セクションでは、堆積物に含まれる磁石の性質を持つ鉱物「磁鉄鉱」が、地層上部では現在と同じ磁気の向きを示したのに対し、地層下部では逆になっていたことが地元研究者らによって発見されました。

幸運なことに、千葉セクションには地磁気反転した時期の地層の直下に「白尾《びゃくび》層《そう》」と呼ばれる火山灰層がありました。この火山灰は約77万年前に古期御嶽山《おんたけさん》が噴火した時に降り積もったものです。菅沼准教授らの研究グループは、火山灰の中に含まれるジルコンという鉱物を年代測定に用いることで、白尾火山灰の年代を約77万3000年前と高精度に算出できました。チバニアンの開始年代は、この結果に気候変動の長周期性なども加味して補正して、約77万4000年前とされました。

今後の地磁気反転に備えるために

現在、地磁気の強さは弱まっています。過去100年では約10%減少しており、千数百年後にN極とS極が逆転する可能性があると考えられています。地磁気が弱くなると気候変動が起こり、地球が寒冷化に進むこともありうるという指摘もあります。

チバニアンの認定に尽力した極地研などの研究グループは、2020年に市原市内の地層を分析し、約77万年前の地磁気の逆転では、約2万年にわたって地磁気の不安定な期間が続いたことを示しました。

チバニアンの研究は、命名されてゴールを迎えたわけではありません。今後、さらに研究されることで、地磁気反転の仕組みや、その過程で生物がどのように対応していったのかが解明されることが期待されています。

第4章　生物

賢い「優等生」のようで、残酷な一面もあるハンドウイルカ
提供：アフロ

両親がオスの赤ちゃんマウス誕生
幅広い応用と研究の意義、問題点を整理する

【ポイント】
・マウスのオスのｉＰＳ細胞から世界初の卵子が作成され、オス同士から子供が誕生した
・研究成果は、ヒトの不妊症や染色体異常の治療、絶滅動物の保存にも役立つ可能性がある
・受精卵の生育には子宮が必要なので、代理母や人工子宮の問題も解決する必要がある

哺乳類のオスのｉＰＳ細胞から世界初の卵子作成

大阪大学の林克彦教授（生殖遺伝学）らの研究グループは、オスのマウスのｉＰＳ細胞（人工多能性幹細胞）から卵子を作り、別のオスマウスの精子と受精させて、赤ちゃんマウスを誕生させることに成功しました。哺乳類のオスのｉＰＳ細胞から卵子を作ることができたのは、世界初といいます。

研究成果は、２０２３年３月８日にロンドンで開催された「第３回ヒトゲノム編集に関する国際サミット」で発表され、注目ニュースとして英科学総合誌「Nature」で紹介されました。同誌には15日付で原著論文も掲載されています。

「両親がオスの赤ちゃんマウス誕生」のニュースは、国内メディアだけでなく、ＢＢＣや英「ガーディアン」紙でも報道され、海外でも強い関心を持たれています。研究の詳細と意義について概観しましょう。

両親がオスの赤ちゃん誕生の手順

マウスはヒトと同様に、ＸとＹの性染色体の組み合わせで性別が決定します。オス（男性）の細胞にはＸ染色体とＹ染色体が１つずつ（ＸＹ）、メス（女性）の細胞にはＸ染色体が２つ（ＸＸ）含まれています。Ｙ染色体はＸ染色体より短く、細胞が加齢に伴って繰り返し分裂するうちに消失する場合があることが知られています。

そこで林教授らの研究チームは、オス２匹が両親のマウスを作るために次の手順を踏みました。

①オスマウスから取り出した体細胞（尻尾の皮膚細胞、ＸＹ）を、生殖細胞にもなれるｉＰＳ細

胞にする。
②iPS細胞を長時間培養して、Y染色体が消失したオスの細胞（XO）を選ぶ。
③XOになった細胞にリバーシン（薬剤）などを使って、同じX染色体が2本に複製されたXXの細胞を作成する。
④XXの細胞に、始原生殖細胞様細胞（PGCs様細胞）に分化するような誘導因子や増殖因子を加えて卵子を作る。
⑤できた卵子と別のオスマウスの精子を受精させる。
⑥代理母となるメスマウスの子宮に受精卵を移植する。

②の段階でY染色体が消失した細胞の割合は約6％でした。⑤で作成した受精卵は630個で、⑥を経て誕生した子マウスは7匹でした。受精卵から誕生に至った成功率は約1％ですが、生まれたマウスはいずれも健康で生殖能力も正常とみられています。

現段階では失敗が99％と効率が良くない方法ではありますが、林教授は英「ガーディアン」紙の取材に「技術的には10年後に人間で可能になるでしょう」と語っています。

ヒトの不妊症や染色体異常の治療にも役立つ可能性

「哺乳類のオス（男性）同士からの子供を誕生させる技術が開発された」と聞くと、将来、ヒトに応用して男性のカップルが女性の卵子提供者を使わずに子供を持つための基礎研究と思うかもしれません。

けれど、今回の研究は、①一部の女性の不妊症、②染色体余剰、③絶滅危惧種の動物の保存など、様々なケースで応用して役立てられる可能性があります。もちろん、いずれも倫理的な議論を十分に尽くす必要はあります。

①については、たとえば2本のX染色体のうち1本の全部や一部が欠損している「ターナー症候群」の女性は国内に約4万人おり、多くは不妊症とされます。この研究を応用してX染色体を複製できれば、子供を授かれるようになるかもしれません。

②については、ヒトで23対46本ある染色体でどれかが1本多くなるトリソミー症候群は、21番が3本になるダウン症候群や13番染色体トリソミー、18番染色体トリソミー、性染色体ではトリプルX症候群（XXX、女性）、クラインフェルター症候群（XXY、男性）などが知られています。今回の研究では、ヒトのダウン症のモデル動物である16番染色体が余剰になったマウスで、リバーシン処理によって正常な数の染色体の細胞を作ることに成功しています。将来的には、ヒトのトリソミーの原因究明や治療法の開発につながる可能性があります。

③については、絶滅危惧種の動物の中には、残りがオスだけ、あるいはメスだけになってしまった場合があります。林教授らは22年12月に「Science Advances」誌で、密猟や環境破壊によって世界でメスが2頭だけになってしまったキタシロサイのiPS細胞から、卵子や精子のもとになる始原生殖細胞様細胞を試験管内で誘導することに世界で初めて成功したことを発表しました。今回の技術を応用できれば、将来的にはオスだけになってしまった場合も、動物の子孫を残すことが可能になるかもしれません。

もっとも、今回の研究では気になる結果も出ています。絶滅危惧種の保存を考えた場合、1匹のオスの体細胞からiPS細胞を経て卵子と精子を作り、受精させて子供が誕生させられれば、絶滅から救える動物が増えたり効率が上がったりしそうです。けれど実験では、同じオス個体から得た卵子と精子では、1500個以上の卵子で試したにもかかわらず、子供の誕生には至りませんでした。

長期間培養によるエラーや代理母の問題も

実用化には、他にどんな問題点があるか考えてみましょう。

たとえば、ヒトではiPS細胞から始原生殖細胞様細胞への分化は確立されていますが、その先の卵子への分化はまだ不完全です。実験マウスの寿命は長くても3～4年ですが、それよりもはるかに長いヒトの卵子を作るためにはY染色体の消失に時間がかかり、長期間にわたる培養で異常が発生しやすくなる懸念もあります。今回の成果をヒトに応用するためには、iPS細胞に関するさらなる研究成果や技術的な進歩を待たなくてはならないでしょう。

さらに、代理母の問題もあります。たとえ両親がオス（男性）の受精卵の作成に成功しても、誕生させるにはメス（女性）の子宮に移植するか人工子宮を用意する必要があります。

人工子宮の研究では、17年にフィラデルフィア小児病院のチームが母ヒツジを用いたものなどがあります。この実験では妊娠105～108日（ヒトの胎児の23週に相当）の母ヒツジから5匹の未熟な胎児を取り出し、「へそのお」を人工肺につなげて、人工羊水に満たされた人工子宮内で4週間育てることに成功しました。けれど、哺乳動物を受精卵から正常な妊娠期間まで人工子宮で育てて出産に至った研究成果はまだなく、ヒトでの実用化には時間がかかりそうです。

とはいえ、今回の研究が生殖医療や遺伝子治療、多能性幹細胞の実験に大きな可能性を与えたことは間違いありません。実用化までは猶予がある今だからこそ、先端技術の利用や規制、倫理問題について議論を進めておくことが重要でしょう。

オスだけ殺すタンパク質「Ｏｓｃａｒ（オス狩る）」のメカニズムが解明される

【ポイント】

・共生細菌ボルバキアは、宿主（昆虫）に性・生殖操作を行う
・「オス殺し」が起こると、ボルバキアに感染した母親が生んだ卵ではメスのみが生まれる
・細菌による宿主生物の性・生殖操作は、農業やヒトの疾病予防にも役に立っている

昆虫の性決定システムを乗っ取る細菌

東京大学大学院農学生命科学研究科の勝間進《かつまますすむ》教授らの研究チームは、オスだけを狙って殺すタンパク質を同定し、メカニズムを解明したと発表しました。研究成果は２０２２年11月、オープンアクセスの学術誌「Nature Communications」で公開されました。

「Ｏｓｃａｒ《オスカル》（オス狩る）」と名付けられたこのタンパク質は、昆虫の体内でよく見られる共生細菌のボルバキアが持つものです。

ボルバキアは感染した宿主（昆虫）の生殖システムに対して、オスのみの死、オスのメス化など様々な操作をします。「共生細菌」と呼ばれていますが、宿主の性を自己の増殖に都合良く変化させる「性決定システムの乗っ取り」を行う「侵略者」とも言えます。

今回の研究と、ボルバキアの性状やその活用について概観しましょう。

ボルバキアが行う4種の性・生殖操作

ボルバキアは65％以上の昆虫種に感染している共生細菌です。宿主の様々な器官に感染しますが、卵巣にはほぼ確実に存在しています。ミトコンドリアのように母から子に伝わる性質を持つため、ボルバキアが次世代に子孫を伝えるためにはメスに感染しなければなりません。

研究が進むにつれ、ボルバキアは宿主の昆虫種によって異なる4種類の性・生殖操作を行って、自己の繁殖が有利になるようにしていることが分かりました。

ボルバキアが行う宿主の性・生殖操作は、次の通りです。

①細胞質不和合：感染していないメスの繁殖を感染したオスが妨害する。
②単為生殖：メスがオスなしで子孫を産めるようにする。

③性転換：遺伝的にオスである宿主をメスに変える。
④オス殺し：オスの卵のみ発生初期に殺し、メスだけが生まれるようにする。

この細菌は1924年にアカイエカから発見され、36年に Wolbachia pipientis（ボルバキア・ピピエンティス）と命名されました。しかし、その後数十年間は、ほとんど注目されませんでした。ボルバキアが再注目されるのは、71年にアカイエカにおいて、ボルバキアによる「細胞質不和合」が観察されたことがきっかけです。これは、ボルバキアに感染したオスと感染していないメスとの交配でできた卵は殺される（発生しない）が、感染したメスの卵は正常に孵化するため、結果的に感染したメスの割合が集団内で高くなっていくという仕組みです。その後の研究で、細胞質不和合はボルバキアが起こす宿主の生殖操作として最も一般的であることが分かりました。

90年には、ある種の寄生バチにおいて、ボルバキアによる単為生殖が行われることが観察されました。単為生殖でメスがオスを必要とせずに次世代を残す場合、生まれてくるのは必ずメスです。ボルバキアは母系伝播をするため、オスがいなくても自身の世代をつなげることに問題はありません。

その後97年に、ダンゴムシでボルバキアによる性転換が発見されます。ボルバキアに感染したダンゴムシのオスは、遺伝子的（遺伝子型）にはオスのままで、見た目（表現型）は完全なメスになります。ボルバキアの繁殖に貢献できないオスをメス化することによって、繁殖を効率的にすると考えられています。

オス殺しはなぜ起こる

「オス殺し」は2000年代になって研究が進みました。ボルバキアにとって不要なオスを殺すことで、メスに十分な餌がいきわたり、自身の増殖に有利になることからとられた戦略と考えられます。

これまでに、チョウ目の昆虫では、リュウキュウムラサキ、チャハマキ、アワノメイガなどで報告されています。たとえば、アワノメイガはトウモロコシの害虫として知られていますが、ボルバキアに感染した母親が生んだ卵では、生まれるのはメスばかりという現象が起こります。発生の段階でオスのみが死んでしまうからです。

東京大学チームは、以前からチョウやガに対するボルバキアの「オス殺し」の実行因子とメカニズムの解明に取り組んでいました。これまでは、オス殺しの有力な候補因子は見つけられていたものの、作用の仕組みなどは不明でした。

今回、同チームは性染色体の調節システムに着目して、オス殺しタンパク質「Oscar」

を発見し、メカニズムを解明しました。

ヒトの性染色体はオスがXY、メスがXXですが、チョウやガではオスがZZ、メスがZWとなっています。同じ染色体が2本あるほうの性（ヒトならメス、チョウならオス）では、2本とも機能すると染色体から作られる産物が過剰になり、死に至ることもあるため、1本の染色体を不活性化するシステムがあります。

チョウやガのオスでは、2本のZ染色体上にある遺伝子の発現をMasculinizer（Masc）と呼ばれる遺伝子が調節しています。ボルバキアに感染するとMascがうまく働かなくなり、オスは死に至ります。そこで研究チームは、ボルバキアが作るタンパク質のうちMascと結合できてMascを抑制する効果があるものを探したところ、Oscarが見つかりました。Oscarは、培養細胞では様々なチョウ目昆虫由来のMascの機能を抑制したことから、チョウ目において普遍的にオス殺しを誘導できる可能性があると言います。

細菌による性・生殖操作はヒトに有益

共生細菌による宿主生物の性・生殖操作は、農業やヒトの疾病予防にも役に立つ技術です。

農業では、天敵農薬（害虫が天敵に捕食されることを利用した生物農薬）の効率的な生産などが期待されています。天敵農薬には、アブラムシを食べるナミテントウのように有用昆虫の雌雄で効果の変わらないものもあります。一方、コナジラミの天敵農薬として使われるオンシツツヤコバチは寄生バチの一種ですが、害虫の体内に産卵して殺す能力を持つのはメスだけです。なので、メスを選択的に生産できると都合が良いのです。

ヒトの疾病予防では、ボルバキアをネッタイイシマカに人為的に感染させる取り組みが実用化しています。ネッタイシマカはデング熱やジカ熱を発症させるウイルスを媒介しますが、ある種のボルバキア（wMel株）が寄生するとウイルスの感染能力が阻害されることが知られています。そのため、ブラジルでは2017年から、wMel株のボルバキアを感染させたネッタイシマカを大量に放虫し、自然のネッタイシマカと交配させて、ウイルスに感染せずにヒトに病気を運ばないネッタイシマカを人工的に増やす試みが行われています。最近はシンガポール、インドネシアでも野外実験が進められており、デング熱の感染率の大幅な低下も報告されています。

昆虫の体に入り込み性を操作する「謎の細菌」は、利用方法を工夫するとヒトの世界の生活向上にもつながります。「科学技術と社会」を象徴する一例とも言えるのではないでしょうか。

生魚の寄生虫アニサキスと、古今東西の日本に見る対策法

【ポイント】

- **日本人の食中毒の原因は、生魚の寄生虫「アニサキス」によるものが最も多い**
- **アニサキスは酢や塩漬けでは死なず、十分な加熱や冷凍が必要である**
- **世界のアニサキス症のうち9割は日本で起きているため、研究も盛んである**

芸能人もアニサキスで食中毒に

食欲が落ちる夏季に食べる魚介類は、刺身やイカそうめんなど喉越しのよい清涼感のあるものが人気です。けれど生食は、適切な処理を施さないと食中毒を起こす場合があります。酢で締めただけでは安心できない場合もあります。

国民栄誉賞を受賞した往年の名俳優の故・森繁久彌《もりしげひさや》さん、お笑いタレントの渡辺直美《わたなべなおみ》さん、

元バレーボール全日本代表選手の益子直美《ますこなおみ》さん、元AKB48の板野友美《いたのともみ》さんらが罹患してニュースになった「アニサキス症」も、サバ、イカ、カツオなどに見られる寄生虫が原因の食中毒です。生魚を食べる習慣のある日本人には身近なアニサキスについて、生活環や食中毒を起こさないための知識、最新の研究事情を概観しましょう。

幼虫がいる魚を生で食べると発症

2022年6月に罹患した板野さんは、YouTubeに「激痛に襲われ緊急で病院に行くことになりました」と題した動画を投稿しました。激しい胃痛で病院に行くと、最初は十二指腸潰瘍と診断されて薬を処方されます。けれど薬は効かず、夜も眠れないほどの痛みが続くために再度病院へ。2日前に寿司を食べたことを告げると内視鏡検査（胃カメラ）をすることになり、アニサキスが1匹発見されます。胃からアニサキスを引っ張って除去する時も、「激イタ」で大変だったそうです。

食中毒の原因となるアニサキスは、正確にはアニサキスの幼虫です。長さ2～3㎝、幅0・5～1㎜の白色・糸状の見た目で、肉眼で確認できます。日本近海だけでも約160種の魚介類に寄生することが知られており、魚介類が死亡すると幼虫が内臓から筋肉に移動します。

アニサキスは、①卵が海を漂う、②海中で孵化してオキアミなどに食べられる、③オキアミを食べた中間宿主（サバ、イカ、カツオなどの魚介類）に幼虫の状態で寄生する、④中間宿主を食べた終宿主（イルカ、クジラなどの海洋哺乳類）の体内で成虫となり産卵する、⑤終宿主の糞便で海中に卵が放出される、という一生を送ります。

人がアニサキスの幼虫がいる魚介類を生で食べると、幼虫が胃壁や腸壁に頭部を潜入させて激しい腹痛を引き起こしたり、アレルギー反応を起こしたりすることがあります。

酢や塩漬けでは死なない

「急性胃アニサキス症」では、食後数時間後から十数時間後に、みぞおちの辺りに激しい痛み、悪心、嘔吐を生じます。アニサキスアレルギーでは、蕁麻疹《じんましん》が主症状ですが、血圧降下や呼吸不全、意識消失などのアナフィラキシー症状を示す場合もあるといいます。基本的に治療薬はなく、胃にアニサキスが確認されたら内視鏡を使って鉗子《かんし》で除去、それ以外では対症療法が中心となります。

酢や塩漬け、醤油やわさびを付けても、アニサキスの幼虫は死滅しないため、サバをシメサバに調理してもアニサキス症の予防にはなりません。よく噛んで食べれば大丈夫と考える人もいますが、アニサキスアレルギーはタンパク質によって起こるので万全ではありません。

効果がある方法は、70℃以上または60℃で1分以上の加熱か、マイナス20℃（家庭用冷凍庫は一般にマイナス18℃）で24時間以上の冷凍で、幼虫は死滅します。自分で釣る場合は魚から速やかに内臓を取り除いたり、幼虫を目で確認して除去したりすることも有効です。

太平洋側のサバがリスク大

アニサキス症は古くからあった病気ですが、原因がアニサキス（線虫）の幼虫であると確定したのは１９６２年、オランダにおいてでした。日本での最初の症例報告は１９６４年です。

寿司や刺身など、魚の生食を嗜好する日本では、諸外国に比べて多数のアニサキス症が発生しています。厚生労働省によると、２０２２年のアニサキスによる食中毒の報告は５６６件と過去最高を更新しており、食中毒の原因の約６割を占めています。近年、医療機関の認知度が高まったことも届け出件数が増えた理由の一つと考えられますが、これまでに全世界で確認されているアニサキス症の90％以上は、日本での症例です。

アニサキス症への対応は、古くからの食文化の違いにも現れています。

国内では、サバを生食する地域と生食を避ける地域に分かれています。福岡の郷土料理には、マサバの刺身を胡麻とタレであえた「胡麻サバ」があります。一方、関東では生食は避ける傾向があります。

東京都健康安全研究センターの鈴《すず》木淳《きじゅん》氏らは、日本海側と太平洋側ではサバに多く含まれるアニサキスが別種であることを突き止めました。さらに、日本海側に多いアニサキス・ペグレフィは内臓に留まりやすく、魚の死後に内臓から筋肉に移動した個体は約０・１％でしたが、太平洋側に多いアニサキス・シンプレックスでは約10％が筋肉に移動したという研究もあります。つまり、日本海側の福岡では、サバの刺身を食べても比較的リスクが少ないと言えそうです。

ちなみに、養殖魚にはアニサキスはほぼいないと考えられます。特に濾過した海水を使う閉鎖式陸上養殖で、卵から人の手で育てた完全養殖の魚を、冷凍餌・乾燥餌で育てれば、生きたアニサキスが混入する可能性はほとんどありません。北海道では天然のサケを冷凍のルイベや加熱のちゃんちゃん焼きで食べますが、寿司のサーモンはほぼ養殖物なので生食が可能です。

日本で進む殺虫法や医療活用の研究

近年は、アニサキスに関する新しい殺虫法や医療活用も日本で研究が進んでいます。

福岡市の水産加工メーカー「ジャパンシーフーズ」は、熊本大学の浪《なみ》平《ひら》隆《たか》男《お》准教授とともに、電気を用いた「アニサキス殺虫装置」を開発して成果を出しています。魚の切り身に瞬間的に流す電気は、１００ＭＷ《メガワット》。これを３分間に４５０回繰り返すと、アニサキスを完全に殺虫できるといいます。魚の鮮度や品質を落とさずに対応できる方法として、大規模な処理の実現が期待されています。

高知大学理工学部の松岡《まつおか》達臣《たつおみ》教授らの研究グループは、胃腸薬の正露丸を通常服用量溶かした液にアニサキスを30分間浸すと、ほぼすべてのアニサキスが運動を停止し、24時間後には死んだことを確認しました。まだシャーレの中での実験（in vitro）の段階ですが、アニサキス症の治療薬開発への大きな一歩となるかもしれません。

大阪大学の境慎司教授らの研究グループは、アニサキスを薄いゲル状の膜で覆う方法を開発しました。がん細胞にダメージを与えられる「過酸化水素を作る酵素」を混ぜた膜でアニサキスを覆って、１cm^2《平方センチメートル》あたり１０００個のがん細胞を含む培養液に入れたところ、24時間後には大部分のがん細胞が死滅したといいます。アニサキスにはがんの臭いに引き寄せられる性質があるという説があるため、同グループはアニサキスの医療活用に期待を寄せています。

消費者にとっては厄介者でしかないアニサキスですが、企業や研究者たちは疾病の克服や寄生虫の活用のために日夜力を注いでいます。私たちも現在、知られている限りの正しい対応をして、自己防衛をしながら生魚をおいしく食べたいですね。

サイボーグ・ゴキブリが災害救助の救世主になる？

【ポイント】
- **サイボーグ昆虫は、生物とロボットの「良いとこ取り」をした性能を持つ**
- **瓦礫の下や化学汚染された環境下での被災者の捜索に期待されている**
- **燃費が良く、危険を自力で避けることがロボットに比べて優れている**

生物とロボットのハイブリッド

日本では近年、災害救助での動物やロボットの活用が注目されています。行方不明者の探索に犬の優れた嗅覚を利用したり、ロボットを人間には立ち入れない狭くて危険な場所に差し向けたりすることは、一刻を争う救命救助に大きな力となると期待されています。

理化学研究所（理研）などの国際研究チームは、超薄型の太陽電池を装着し無線で人が操作できる「サイボーグ昆虫」を開発しました。将来は災害地での活躍も視野に入れています。研究成果は、2022年9月5日付の国際科学誌「npj Flexible Electronics」オンライン版に掲載されました。

生物とロボットの能力の「良いとこ取り」をしたサイボーグ昆虫の利点と歴史を概観します。

サイボーグ昆虫に向くのはゴキブリ

本研究でサイボーグ昆虫に選ばれたのは、マダガスカルゴキブリです。①体長約6㎝と大きい、②翅《はね》がなくて飛ばない、③環境に対する耐性が比較的高いことから選ばれました。サイズが大きいためサイボーグ化のための装置を無理なく装着でき、飛ばないため行動制御がしやすい特徴があります。さらに飼育環境下では5年程度の寿命を持ち、過酷な環境でも生きられることから、サイボーグ昆虫の研究には広く使われています。

理研チームは、マダガスカルゴキブリの背に薄くて柔らかい太陽電池を装着。胸部に付けられた無線装置を介して、尻の部分にある尾葉という突起に電流を通して動きを操ることに成功しました。サイボーグ昆虫に装備されている太陽電池は、光を当てれば何度でも充電できます。実験では、30分間の充電で約2分間の操作ができました。

サイボーグ昆虫の制御を無線で長時間行ってデータを取得する場合、10mW《ミリワット》以上の発電装置

（太陽電池など）を昆虫に装着させる必要があります。けれど、装置が重くなったり活動の邪魔になったりすれば、昆虫の運動能力は低下し本来の動きは損なわれます。これまでは運動能力を保ちつつ、必要電力を賄う発電装置の開発が困難でした。

今回、研究チームは厚さ４㎛《マイクロメートル》でフィルム状の超薄型太陽電池を開発し、軽量化と動きの自由度を保つことに成功しました。さらに、昆虫は動くたびに腹部が変形するので、動きを阻害しないために太陽電池を固定する際に接着剤を塗る部分と塗らない部分を交互に作る「飛び石構造」を採用しました。その結果、最大17・２mWの出力と、昆虫の動きの自由度を両立できました。

充電さえすれば、昆虫の寿命が続く限り、人が入ることのできない特殊な環境でも長時間の活動が可能なため、瓦礫の下敷きになった被災者の捜索や、化学汚染が予想される場所でのモニタリングなどへの活用が期待されます。研究チームは「将来的には、小型カメラを装着したり複数のサイボーグ昆虫を一斉に用いたりすることで、人命探索の迅速化にも役立てたい」と語っています。

現段階では、サイボーグ・ゴキブリで成功した遠隔操作は左右に動かすのみです。制御が利かなくなって逃げ出したら、災害救助活動中に天敵の蜘蛛やヤモリなどに食べられてしまったら、冬になって活動が鈍ったらどうするかなど、克服すべき課題は数多くあります。けれど、研究チームは、今後はカブトムシなどの他の昆虫にも応用できないかと検討しているそうです。

ロボットよりも燃費に優れる

サイボーグ昆虫の研究は2000年代以降に活発になったテーマで、今や世界中で研究されています。主に①災害対応、②環境やセキュリティ目的の監視、③犯罪者の追尾などの目的が掲げられています。

ロボットのほうが効率よく開発できそうなのに、なぜわざわざ昆虫と機械の融合を試みるのでしょうか。それは、サイボーグ昆虫は、すべてが機械でできているロボットよりも圧倒的に燃費がよく、長時間の活動ができるからです。

日本における災害対応ロボットの開発は、阪神・淡路大震災で通路の確保の難しさや二次災害のおそれから、人が踏み込めずに探索できない場所が多かったことの反省から進展しました。東日本大震災で事故が発生した福島第一原発の建屋には、遠隔操作できるロボット「Quince《クインス》」が派遣され、情報収集に活躍しました。

けれど、Quinceの大きさは全長665㎜×全幅480㎜×高さ225㎜で重さも約30kgあります。大型犬くらいのサイズがあるため、地震や土砂崩れ災害で瓦礫の隙間を探査することは困難です。小型の災害対応ロボットも開発されていますが、搭載される小型電池では活動時間が数分間になってしまうことも少なくありません。

その点、生きている昆虫を使えば人が入れない狭い場所にも行け、危険や障害物はプログラムしなくても自力で回避してくれます。遠隔操作やデータ通信のための動力を搭載する必要はありますが、昆虫本体は飲まず食わずでも数日間生きられるものもいます。

発展するサイボーグ昆虫研究

今回の研究に参加したシンガポールの南洋理工大学の佐藤裕崇《さとうひろたか》准教授は、サイボーグ昆虫の研究に十数年前から取り組んでいます。米カリフォルニア大学バークレー校時代の09年には、体長約６㎝の「オオツノカナブン」に電極を付けて遠隔操作で意図する方向に飛ばすことに成功しました。

同じ頃、米ミシガン大学やコーネル大学ではサイボーグ蛾による飛行実験を実施。一方、マサチューセッツ工科大学は「電力ではなく、昆虫の生体エネルギー（化学エネルギー）を使って動く超小型ラジコン」の開発を進めます。

日本では大阪大学の森島圭祐《もりしまけいすけ》教授が、蛾の幼虫の筋肉を動力にしたマイクロロボットや、昆虫の体液を利用した発電装置を開発しています。マイクロロボットは、糖をエネルギー源にしたロボットが人間の血管に入ってエネルギーを取り込みながら人体を探索できる可能性が示唆されます。発電装置は、昆虫が生きている限り動き続ける点が注目を集めています。

東京大学先端科学技術研究センターの神崎亮平《かんざきりょうへい》シニアリサーチフェローは、カイコガのオスがメスのフェロモンの匂いの方向に進む性質を使った匂い探索ロボットを開発しています。ロボットだけでは難しい匂いセンサーや匂いの探索を、カイコガの脳や触覚と機械を融合させることによって達成しました。

理研チームの研究は、地面での捜索や情報収集に特化したサイボーグ・ゴキブリの可能性が示されたものでした。今は嫌われ者のゴキブリですが、将来は災害救助に役立つ益虫として認識される世界になるかもしれません。

ヒトを襲い、弱い個体をいじめる「優等生」イルカの知られざる一面

【ポイント】

・イルカの活用目的は、歴史とともに食用、観賞用、軍用と変化した

・20世紀以降はイルカの賢さが注目され、芸や軍事訓練を施されている

・イルカには、退屈しのぎに集団でいじめをする残忍な面もある

イルカは人間の友か？

水族館のショーや海洋でのウォッチングで大人気のイルカ。トレーナーと協働して芸を行うほど人馴れして賢く、正面から顔を見ると笑っているように見えるところも可愛いと親しまれています。

けれど、近年はイルカが人間に危害を加えたり、動物兵器として活動したりするケースが報

告されています。2022年の夏は、福井県に1日に最大で6件もヒトを襲った「凶暴なイルカ」が現れました。米テレビ局のCNNは「ロシアは22年2月のウクライナ侵攻以来、クリミア半島に軍用イルカを配備していることが分かった」と報じています。

イルカはヒトの良き友人なのでしょうか。ヒトとイルカの関係の歴史を概観しましょう。

食用への批判

イルカは、大雑把に言うと「体長4~5mまでの小さいクジラ」です。クジラは、地球最大の生物であるシロナガスクジラなどを含むヒゲクジラと、マッコウクジラやイルカ、シャチが含まれるハクジラに分類されます。

イルカの活用目的は、歴史とともに①食用、②観賞用、③軍用と変化し、多様になりました。

ヒトとイルカの初めての関わりは先史時代にさかのぼります。世界各地の貝塚からはイルカなどのクジラ類を食べたり、骨を道具として利用したりした跡が見つかっています。日本では縄文初期(約8000年前)の稲原貝塚(千葉県館山市)から、イルカの骨と黒曜石を使った石器が出土しています。

第二次世界大戦直後の食糧難の時期までは、日本では貴重なタンパク質源としてイルカ食は珍しくありませんでした。けれど、食が豊富になったこと、イルカは身体に占める脳の割合が大きく「知性の高い哺乳動物」だと分かったことなどから、最近は伝統的にイルカ漁が盛んな地域などに限られつつあります。

日本でのイルカ漁は、岩手県を中心とした東北地方の突き棒漁と和歌山県太地町《たいじ》の追い込み漁に代表されます。09年には、太地町のイルカ追い込み漁を批判的に描いたアメリカのドキュメンタリー映画『ザ・コーヴ』が公開され、第82回アカデミー賞長編ドキュメンタリー映画賞を受賞しました。盗撮や編集手法に問題があるとされる同作ですが、反捕鯨団体や動物愛護団体のイルカ漁反対の根拠に使われるなど、未だに一定の影響を及ぼしています。

イルカショーの始まり

20世紀半ば以降のイルカの利用と言えば、水族館で飼育してショーで活躍させたり、野生イルカのドルフィンウォッチングで観光資源として活用したりする「観賞目的」が主流です。ただ見るだけではなく、触れ合ったり一緒に泳いだりする参加型のイベントも人気を集めています。近年はさらに派生して、イルカと触れ合うことによって癒やしを得る「アニマルセラピー」への利用も試みられています。

世界初のイルカショーは、1952年にアメリカのフロリダにあるマリン・スタジオで行われたものとされています。38年に開設されたマリン・スタジオは、それまでは種の保存といった学術的な意義の強かった水族館にエンターテインメントの要素を持ち込みました。

同所ではサメのような大型魚やカツオなどの回遊魚の飼育も行われ、餌付けショーなどが人気を博していました。ドイツからトレーナーを呼んでイルカのフリッピーに芸を覚えさせたショーは大人気のアトラクションとなり、世界中の水族館に広がります。

日本では30年代から、静岡県の中之島水族館（現在の伊豆・三津《みと》シーパラダイス）などでクジラ類が飼育されていました。日本初のイルカショーは、57年に神奈川県の江の島マリンランド（現在の新江ノ島水族館）で行われました。当時から、今もショーでおなじみのハンドウイルカやハナゴンドウが活躍していたそうです。

ホエール（ドルフィン）ウォッチングは、野生のクジラやイルカを野外観察するイベントです。50年にアメリカのカリフォルニア州でコククジラを観察するための観光船が現れたのが始まりとされています。80年代から世界中に広まり、現在は日本でも北海道から沖縄までの約半数の都道府県で行われています。

軍事目的への適性

アメリカ海軍では、60年代から軍事目的でのイルカの利用が研究されてきました。イルカは濁った水の中でも目標物を感知する能力があるため、海中の紛失物を発見して回収したり機雷を探知したりすることに利用されます。さらに、自軍の制限領域に海中から忍び込もうとする侵入者を見つけることもできます。アメリカは、湾岸戦争（91年）やイラク戦争（２００３〜２０１１年）で、訓練したイルカを実戦投入しました。

ロシア海軍は90年代に、イルカの軍用計画を一時停止しました。けれど、２０１０年代になって再開し、14年のクリミア危機ではウクライナ軍の軍用イルカを接収しました。イルカたちは、水中の機雷や侵入者を発見して目印を付けるように訓練されていたと言います。

アメリカ海軍協会は22年２月の衛星写真の分析から、ロシア黒海艦隊の拠点であるセバストポリ港にイルカ用の囲いが設置されたことを確認しました。ウクライナ侵攻の開始時期とほぼ同時であるため、港や艦船に爆発物を設置するために海中から潜入するウクライナの特殊部隊を探知するための軍用イルカと見られています。

ヒトを襲うイルカ

ショーや軍用では、ヒトに対してフレンドリーで、指示を覚えて従順に行動するイルカの特性が際立ちます。けれど22年夏は福井県で「ヒトを襲うイルカ」が話題となりました。

このイルカは、４月頃から福井県沿岸で目撃されていました。体重は約２００kgと推定され、ミナミハンドウイルカと見られています。北陸地方では近年、石川県の能登島周辺にイルカの群れが定着しています。問題のイルカは、群れからはぐれて北陸沿岸部に住み着いた可能性があります。

6月には素潜り漁師やダイバーが、体当たりされたり水中に引き込まれそうになったりする被害を受けました。イルカは最高時速40~50㎞で泳ぐことができるので、ぶつかると深刻なけがにつながる場合があり、海外では死亡事故も起きています。

7月以降は福井県の鷹巣《たかす》海水浴場や越廼《こしの》海水浴場付近に現れ、膝ほどの浅瀬まで近づきました。海水浴客が噛みつかれたり伸し掛かられたりした事例は、10件以上も起こりました。現在は超音波装置などを使って、イルカを沿岸に近づけないようにしています。

イルカは食べるためにヒトを襲うことはありません。福井のイルカは自分からヒトに近づいてくることから、①最初は遊びのつもりでヒトにちょっかいを掛けて、構ってもらえたことが嬉しくてだんだんと行動がエスカレートした、②餌付けの経験があってヒトに執着し、餌をくれないと突っついて要求したり怒って噛みついたりしている、③夏以降は繁殖期と重なって、身体を擦り付ける習性がヒトに対しても現れた、などが原因と考えられています。

本当は残忍なイルカ

もっとも最近は、優等生のイメージを持つイルカが実は残忍な面も持つことが確認されています。

英スコットランドのセントアンドルーズ大学では、伝統的にイルカの研究が盛んです。同大学によると、ハンドウイルカはストレスが溜まったり退屈したりすると、自分よりも小さい個体や弱っている個体に噛みついていじめたり、メスイルカをオスの集団がなぶったりすることもあるといいます。

ヒトの場合も、イルカに「自分よりも弱い動物だ」と認識されてしまえば、遊びでじゃれられるだけでなく、さらに危険性が増す可能性があります。

野生動物との付き合い方はもともと難しいですが、イルカのように頭の良い動物との共存ではなおのことです。自己判断で近づかずに遠くから観察するだけにする、イルカから近づいてきたら慌てずに速やかに離れることが、自身のけがや動物の駆除（殺処分）の予防になります。約1万年もの間、関わり続けたヒトとイルカですから、これからも上手に距離を取って付き合っていきたいですね。

『鬼滅の刃』でも現実でも「青い彼岸花」が見つからない科学的理由

【ポイント】

- **彼岸花は毒を持つが、弥生時代から食用や薬用にも使われていた**
- **日本の彼岸花は三倍体のため種が作れず、突然変異で青色ができたとしても定着しにくい**
- **花の色には理由があるが、近年は遺伝子操作でかつてなかった色が作られている**

『鬼滅の刃』のキーアイテム

邦画の興行収入歴代1位（2023年8月現在、404・3億円）は『劇場版「鬼滅の刃」無限列車編』（原作：吾峠呼《ごとうげこ》世晴《よはる》、2020年10月公開）です。全世界でも5億7000万ドルを記録し、20年の年間興行収入世界第1位になりました。一時の〝鬼滅ブーム〟は落ち着きましたが、23年4月にはTVアニメ『鬼滅の刃　刀鍛冶の里編』が始まるなど、人気は定着したようです。

『鬼滅の刃』には、キーアイテムがあります。主人公・竈門炭治郎《かまどたんじろう》が所属する「鬼殺隊」の最大の敵である鬼のボス・鬼舞辻無惨《きぶつじむざん》が探し求める「青い彼岸花」です。

人間だった頃、無惨は病弱で、主治医に青い彼岸花が原料の薬を投与されました。効き目がないことに怒った無惨は医者を殺しますが、その後すぐに薬の効果――鬼になる――が現れます。鬼になった無惨は強靱《きょうじん》な肉体を手に入れますが、人を喰《く》らうようになり、日光の下にも出られなくなってしまいます。

無惨は、太陽の光を克服し完璧な生物になる鍵は青い彼岸花だと考え、日本中を探し回ります。けれど、平安時代に生まれた無惨は、『鬼滅の刃』の舞台となる大正時代になっても見つけることはできませんでした。手下の鬼たちをこき使って大捜索したにもかかわらずです。

彼岸花という名の由来

無惨が青い彼岸花探しに苦労するエピソードは、科学的に非常に納得できる設定です。

彼岸花は、秋の彼岸の頃に赤い花を咲かせる多年草です。弥生時代に中国大陸から日本に渡来したとされるので、無惨が生まれたとされる平安時代の日本にも当然ありました。

この植物の名前は「食べたら彼岸（死の世界）に行く」が由来だという説もあります。実際に彼岸花の球根にはリコリンやガランタミン（アルカロイドの一種）などの毒があって、人が食べると下痢や吐き気を起こして、重症の場合は死に至る場合もあります。毒があることを利用して、土を掘り起こすネズミやモグラの対策として球根を畑や墓地の近くに植えたのが、彼岸花の栽培の起源だと考えられています。サンスクリット語に由来を持つ「曼珠沙華《マンジュシャゲ》」や、墓地から連想した「死人花《しびとばな》」の異名も持ち、『鬼滅の刃』の世界観にはぴったりの花と言えるでしょう。

もっとも、リコリンやガランタミンは水溶性の毒なので、球根を十分に水にさらせば毒が抜けて食用になります。なので、かつて貧しい農村では、飢饉に備える目的でも植えられていました。作中では主人公・炭治郎の回想にも彼岸花は現れるのですが、見たことがあったり、家の近くに植えられていたりしても不思議ではありません。

彼岸花は古くから「球根をすりおろしたものを足の裏に貼ると、むくみが取れる」という民間療法でも使われていました。有毒なのは知られていたので、科学が発達する前は外用薬として限定的な使用でした。現在は毒性をコントロールできるようになり、球根に含まれるリコリンは鎮咳《ちんがい》効果のある漢方薬に、ガランタミンはアルツハイマー型認知症治療薬「レミニール®」(一般名：ガランタミン臭化水素酸塩)にと、内服薬としても有効に使われています。彼岸花を無惨に内服させた主治医は、先見の明がありすぎたのかもしれません。

現実でも青い彼岸花は見つからない

さらに、彼岸花は通常の花よりもカラーバリエーションが定着しにくい、つまり赤以外の色が現れにくいのも、無惨にとっては悲劇でした。

日本の彼岸花は、三倍体という珍しい特徴を持った植物です。三倍体とは、染色体のセットが3つあることです。生物は通常、染色体は2とか4の偶数のセットを持っていて、生殖細胞を作る時に半分のセットになります。オス（雄しべ）とメス（雌しべ）から同量のセットをもらって、子孫を残すための受精卵や種子ができます。けれど、奇数のセットを持つ彼岸花は、人工的に三倍体にしている種なしすいかのように、種子を作ることができません。つまり、もし突然変異で青色の彼岸花が出現しても、種子で大量に子孫を残したり、風や動物によって種子が運ばれたりすることはできません。人の手で掘り起こして球根を分けない限り、青い彼岸花が増えたり複数の場所に現れたりすることはありえないのです。

実際に現実の世界でも、青い彼岸花は見つかったことがありません。では、今後は現れる可能性はあるのでしょうか。

花の色の秘密

自然界の花の色は白色系が33％で最も多く、黄色系が28％、赤色系が20％、青と紫系が17％と続きます。

植物は自分で動けないので、種を作るために昆虫などの助けを借りて花粉を運んでもらう必要があります。そこで目当ての昆虫や鳥に「ここに食べ物の蜜がある」と自分の存在をアピールするために、花の色や香りを使います。

たとえば、ミツバチは紫外線からオレンジ色までを見ることができますが、赤は見えません。ミツバチが最も見やすい色は黄色です。なので、ミツバチに受粉の手助けをしてほしい花は、黄色系でミツバチが蜜を吸いやすい形になっています。一方、赤い花にはアゲハチョウが集まりやすいです。また、白い花を咲かせる植物が多い原因は、白は他の色に比べて多くの昆虫に見えやすいためだと言われています。

植物ごとに戦略を持って多様に進化した花の色ですが、すべての花は3種類の色素の組み合わせで色がついています。無色からうすい黄色の原因となるフラボン類、黄色やオレンジ色の原因となる色素はカロチン類、赤色や青色、紫色の原因となるアントシアニン類です。ちなみに白い花は、本来は無色です。花びらの中に空気の小さな泡をたくさん含んでいて、光があたると光が散乱して、ビールの泡のように白く見えています。

青いバラの成功

バラは、かつては彼岸花と同じく青色がありませんでした。人気のある花なので、数十年前までは青みがかった花を持つ個体を丁寧に交配、交雑して少しずつ濃くしていきました。それでもなかなかうまくいかず、英語のブルーローズは「不可能」の比喩ともなっていました。

ブレイクスルーとなったのは、サントリーによる「花の青色遺伝子の特定」と「土壌細菌を使ったバラへの青色遺伝子の導入」です。1990年に始まったこのプロジェクトは、2004年に成功しました。園芸が始まって以来の悲願の達成に、青いバラの花言葉は「夢かなう」になりました。

青いバラの成功により、その後も、青いユリ、青いキク、黄色いアサガオなど、花の色にバイオテクノロジーを使った植物が続々と作成されています。

『鬼滅の刃』は根強い人気があるので、次の「青い花」の開発のターゲットは、多くのファンが実物を見てみたいと思う彼岸花になるかもしれません。実現できた時に、青い彼岸花にはどんな花言葉がつけられるのでしょうか。『鬼滅の刃』の名言から選ばれるかもしれませんね。

第5章 アートとテクノロジー

ナショナル・ギャラリー所蔵、ルーベンス「サムソンとデリラ」
提供：アフロ

誤情報も流暢に作成する対話型ＡＩ「ChatGPT」の科学への応用と危険性

【ポイント】

・ChatGPTは「流暢に嘘をつく」こともあるので、利用者は注意が必要である
・アメリカの医師免許試験を解かせると、ChatGPTは合格圏内に入った
・今後は「ネットで検索」から「ChatGPTのようなAIに相談」する時代に変わりそうだ

公開2カ月で月間1億人ユーザー、自治体が教育への悪影響を懸念

２０２２年11月末に一般公開され、２カ月で月間アクティブユーザー数が１億人を突破したＯｐｅｎＡＩ《オープンエーアイ》社の対話型ＡＩ「ChatGPT《チャットジーピーティー》」は、自然な分かりやすい文章で利用者が求めた情報に即座に答えてくれる手軽さがもてはやされる一方、課題レポートの作成に使われかねないと教育現場を中心に警戒心も強まっています。

ＯｐｅｎＡＩ社は２０１５年に設立されたアメリカのＡＩ開発会社です。創業にはスペースＸ社やテスラ社のＣＥＯであるイーロン・マスク氏が携わり、23年1月にはマイクロソフト社が１００億ドルの出資をして株式の49％を取得しました。

ChatGPT の優れた点は、簡単な受け答えだけでなく、「中学生でも分かるように地球温暖化について８００字以内で説明して」「（複雑なプログラミングコードを提示し）このコードでバグが発生したので、問題箇所を教えて」「（英作文を提示し）この文をネイティブっぽく直して」などの要求にも数秒で応えてくれることです。ただし、回答が必ずしも正しい情報とは限りません。ニューヨーク市教育局は「学習への悪影響、コンテンツの安全性、正確性に対する危惧」を理由に、所管の学校端末などからアクセスできないようにしました。

さらに、ChatGPT による個人情報の収集はＥＵ一般データ保護規則違反の疑いがあるとして、イタリア政府は23年3月、ChatGPT へのアクセスを一時的に禁止しました。問題が解決されない場合、最大２０００万ユーロ（当時のレートで約27億円）あるいは年間売り上げの４％の罰金が科される可能性がありましたが、ＯｐｅｎＡＩ社が「是正措置を実施した」とする文書を送ったことで、１カ月後にアクセス禁止は解除されました。年齢確認システムの実装や、サービス利用時の履歴を削除できる設定の導入をイタリア政府が評価したことによります。

東大理事「話し上手な『知ったかぶり』と話をしているような感じ」

日本では、東京大学が太田邦史理事・副学長名義で23年4月3日に、学内ポータルサイトにChatGPTに代表される生成系ＡＩへの指針を表明しました。太田氏は「平和的かつ上手に制御して利用すれば」人類の幸福に大きく貢献できると期待する一方で、「生成系ＡＩには技術的な課題も存在しており、今後の社会への悪影響も懸念されています」と述べ、ChatGPTを「書かれている内容には嘘が含まれている可能性」があり、「非常に話し上手な『知ったかぶりの人物』と話をしているような感じです」と評して注意喚起しています。

欧米で規制の動きが見られる中、松野《まつの》博一《ひろかず》官房長官は同月6日、「ChatGPTの教育現場での活用を巡り、文部科学省が指針を取りまとめる方針だ」と記者会見で語りました。ＯｐｅｎＡＩ社のサム・アルトマン最高経営責任者（ＣＥＯ）は来日し、10日に岸田《きしだ》文雄《ふみお》首相と面会してChatGPTの技術的な長所と短所の改善法を説明しました。

さらに自民党の「ＡＩの進化と実装に関するプロジェクトチーム」の事務局長である塩崎《しおざき》彰《あき》久《ひさ》衆議院議員によると、同日、アルトマン氏は同チームの会合に参加し、日本に対して①日本関連の学習データのウエイト引き上げ、②政府の公開データなどの分析提供等、③ＬＬＭ（Large Language Models、大規模言語モデル）を用いた学習方法や留意点等についてのノウハウ共有、④ＧＰＴ－４の画像解析などの先行機能の提供、⑤機微データの国内保全のための仕組みの検討、

⑥日本におけるOpenAI社のプレゼンス強化、⑦日本の若い研究者や学生などへの研修・教育提供、の7つの提案を行いました。

このように急速に広まり、「インターネットの登場を超えるインパクト」とも言われているChatGPTですが、科学の世界でも早々に実験や検証の対象として扱われたり、論文の著者として登場したりしています。今回は、医学分野で検証した結果から、ChatGPTの科学への適応性と限界について見てみましょう。

アメリカ医師免許試験の合格圏に

世界で最も権威のある学術誌の一つである「Nature」は23年1月に、「ChatGPTなどのAIは、学術論文の内容や倫理規範に責任を持つことができないため、研究著者としての基準を満たしていない」という見解を掲載しています。

この記事が掲載された時点で、ChatGPTが共著者として参加した論文はすでに4つありました。なかでも特に注目されたのは、ハーバード大学医学部のティファニー・H・クン氏らの研究チームがChatGPTにアメリカの医師免許試験（USMLE）を受けさせた実験です。論文には、ChatGPTが共同執筆者として3番目に掲載されました。

ChatGPTは、膨大な量の既存のテキストデータを収集し、機械学習と強化学習を通じて確率的にもっともらしい文章を作成していく仕組みです。クン氏らは、一般公開されている376問の試験問題からすでにChatGPTに学習された可能性のある問題を排除した305問についてChatGPTに入力し、解答させました。採点は2人の医師が行いました。

USMLEには臨床データから見解を記述させるような複雑な問題もありますが、ChatGPTは94・6％の一致率で問題内容に沿った的外れではない解答を作成しました。全分野にわたって50％以上の正答率を上げ、そのうちのほとんどが60％を超えていました。USMLEの合格基準は約6割の正答率なので、ギリギリですが合格圏に入りそうです。さらに、解答内容に新規性、進歩性、妥当性があるかどうかを検討したところ、全体の88・9％で少なくとも1つの有意な洞察が見受けられたといいます。研究チームは「ChatGPTの解答から新しい知見や改善策を得られる可能性があり、医学を学ぶ人の支援になるかもしれない」と語っています。

もっとも現段階で、臨床現場において医師の役目を果たせるかについては懐疑的です。

救急医療に携わる医師のジョッシュ・タマヨサーバー氏は3月、緊急救命室に運ばれた実際の患者のデータをChatGPTに入力したら的確な診断ができるかどうかを調べ、結果をニュースメディアの「Fast Company」に寄稿しました。

氏は3月に救急科に搬送された35人以上の患者が訴える病状や経過をまとめた現病歴を用いて、ChatGPTに対して「救急科に来院したこの患者の鑑別診断はどうなりますか？〈ここに実際のデータを挿入〉」と尋ねました。実験の結果、ChatGPTは詳細な現病歴を入力すると正しい診断結果を出力しました。たとえば、肘内障《ちゅうないしょう》の場合は200語、眼窩《がんか》吹き抜け骨折では600語の現病歴の入力で、正しい診断結果を得られました。

けれど、ChatGPTが1人の患者に対して複数提案した診断結果のうち、正しい診断、あるいは少なくともタマヨサーバー氏が正しいと思える診断が含まれていたのは、患者の約半数だったといいます。氏は「悪くはないが、緊急外来での成功率が50%というのはあまり良いとは言えない」と、臨床現場では精度が十分ではないと主張しています。

すでに無数の人がChatGPTで自己診断している可能性も

とりわけ、若い女性の腹部の痛みで子宮外妊娠を想定しなかったり、脳腫瘍を見逃したり、胴体の痛みを腎臓結石と診断したが実際は大動脈破裂だったりと、生命の危機がある患者に対して誤診があったことを氏は憂慮しています。

ChatGPTはテキストデータをもとに回答するので、たとえば女性が妊娠の可能性を隠していた場合、子宮外妊娠を想定することはできないことなどが誤診につながっています。氏は、「ChatGPTは、私が完璧な情報を提供し、患者が典型的な病状を訴えた際に診断ツールとしてうまく機能した」と分析し、「患者が『手首が痛い』と訴えたとしても、それが最近の事故によるものとは限らず、精神的なストレスや性感染症が原因の場合もある」とＡＩのみによる診断の難しさを語っています。さらに氏は、「すでに数え切れない人々が、医師の診察を受けずにChatGPTを使って自己診断しているのではないか。正確な情報を入力できなければ、ＡＩの対応が死につながるかもしれない」と警鐘を鳴らしています。

「ＡＩに相談」時代に必要な力

ChatGPTは有料版のＧＰＴ－４がリリースされ正確性が増してきていますが、フェイクニュースを量産できたり個人情報をばらまかれたりする恐れがますます高まるという指摘もあります。

対話型ＡＩのサービスは今後もさらに広がると考えられます。マイクロソフト社は3月に自社の検索サービス「Bing」にＡＩ機能を追加し、グーグルも対話型ＡＩ「Bard」を英米で公開を開始しました。

これからは「ネットで検索」ではなく「ＡＩに相談」する時代になりそうです。もっとも対話型ＡＩを使いこなすには、回答を鵜呑《うの》みにせずに確認し、修正する能力が求められます。上手に使いこなして定型的な業務の効率を上げながら教養を身につけ、自分ならではの新しい知見を得る時間を作り出したいですね。

人類滅亡まであと90秒！「世界終末時計」の歴史と問題点

【ポイント】

- **毎年1月に発表される「世界終末時計」は、原爆開発に寄与した科学者らが始めた**
- **1947年の開始以来、2023年は人類滅亡までの残り時間が最も短く設定された**
- **世界終末時計には「科学的根拠がない」「手を広げすぎて不明瞭」などの批判もある**

人類滅亡までの残り時間を示す時計

アメリカの学術誌である「原子力科学者会報（Bulletin of the Atomic Scientists）」は1月末に、「世界終末時計（the Doomsday Clock）の2023年時点での残り時間は90秒」と発表しました。20年から3年連続で歴代最短の100秒を維持していましたが、23年はさらに更新されました。

世界終末時計は、人類滅亡を午前0時に見立てた時計です。アナログ時計の文字盤の、左上

15分間だけを示すデザインで描かれています。原子力科学者会報の表紙イラストとして、アメリカと旧ソビエト連邦が冷戦状態にあった1947年に、「0時まで残り7分」から始まりました。核戦争の可能性などの世界情勢を、人類への脅威という観点から分析して、「人類の残り時間」が毎年発表されています。

この時計の針は、進んだり戻ったりします。最も戻ったのは91年、米ソが第一次戦略兵器削減条約（START I）に調印しソ連が崩壊した後で、17分前まで戻りました。

2022年は、アメリカとロシア、中国との間で緊張関係が続き、核兵器が高度化されていることや、イランの新たな核兵器開発問題、北朝鮮のミサイル発射などが人類を危機に陥らせる出来事として考慮されています。核問題以外でも、新型コロナウイルスのワクチンが行き渡る前に途上国で新たな変異株が登場したことや、気候変動への対応が遅れていることなども「0時まで残り100秒」を維持する原因となりました。

23年に時計がさらに10秒進んだ理由として、原子力科学者会報はプレスリリースで「ロシアによるウクライナ侵攻と、それに伴う核兵器使用のリスク増大が主な原因だ」と説明し、気候変動がもたらす継続的な脅威や、新型コロナウイルスなどの生物学的脅威に関するリスク低減に必要な国際規範や制度が機能停止に陥っていることも要因であると指摘しています。

といっても、近年は「世界終末時計」の発表時に、「根拠がない」「ただの終末論でくだらない」などと酷評を浴びせられることも少なくありません。歴史的背景と問題点から、世界終末時計が告げるメッセージの正しい読み取り方を考察してみましょう。

世界終末時計の成り立ち

シカゴ大学は、第二次世界大戦中にアメリカによって原子爆弾が開発された「マンハッタン計画」で、原子炉作成とプルトニウム生産の実証実験という中核的な役割を担っていました。自分たちの研究によって日本への原爆投下が現実的になった1945年6月、ノーベル物理学賞受賞者のジェイムズ・フランクらシカゴ大学の7名の科学者は、原爆の社会的、政治的影響を検討し、大統領側近の陸軍長官に「フランク・レポート」と呼ばれる報告書を提出しました。

報告書の中で、科学者たちは核兵器の脅威を述べ、「戦後は国家間の合意で核開発競争を防止すべきだ」「直近に迫る日本への原爆投下は無警告ですべきではない」と提言しました。しかし、陸軍長官が中心となって核エネルギーの議論をしていた委員会では、すでに5月末に日本に対する無警告投下を決定していたため、フランク・レポートの内容は無視されました。科学者に対しても何の返答もありませんでしたが、原爆の作成に関わった科学者自身によって核開発に警鐘を鳴らす行動は、後に科学者による核抑止・廃絶運動につながっていきます。

終戦直後の45年9月には、フランク・レポートの作成に関わった科学者が中心となって、

「シカゴ原子力科学者」という組織を作り、会報が創刊されました。会報の名称は翌年に「原子力科学者会報」に改定されました。

「原子力科学者会報」の表紙に「世界終末時計」が初めて描かれたのは、47年6月です。時計の時刻は、当初はフランク・レポートを起草した編集主幹のユージン・ラビノウィッチが専門家の助言を得ながら決定していました。73年にラビノウィッチが亡くなると、編集部がノーベル賞受賞者や安全保障の専門家らの意見を聞いて、改定するようになりました。

「原子力科学者会報」は、核兵器が人類にもたらす脅威について科学者が見解と社会的責任を論じ、市民への啓発と警告を行う場として発展していきます。誌面では、核の国際管理の提案、旧ソビエト連邦の核開発とアメリカの水爆開発の状況解説、核開発競争下での軍縮への提言や大気圏核実験の禁止などが議論されました。さらに、ラビノウィッチが中心人物の1人として開催を実現したパグウォッシュ会議は、「すべての核兵器と戦争の廃絶を訴える科学者による国際会議」として57年から17年までに62回の世界大会を開催し（23年8月現在、第63回ドーハ大会はコロナ禍で延期中）、95年にはノーベル平和賞も受賞しました。

批判されるようになったのは、手を広げすぎたから？

輝かしい活動につながり評価を受けた「原子力科学者会報」と主要メンバーですが、近年は世界終末時計について「オカルトだ」「根拠なく人々の不安を煽っているだけだ」と批判が高まっています。

理由の一つは、「科学者が提唱しているのに、科学的根拠がない」ことでしょう。つまり、世界終末時計の最初の設定時間「人類が滅亡する午前0時の7分前」の「7分」という数字はどこから来たのか、23年は前年から時計の針が10秒進んで「90秒前」となったが何をもって「10秒」と言えたのか、という疑問です。

科学者が成果発表する時は、根拠として数値データを挙げます。さらに、その値は「誤差の範囲内」なのか「誤差では済まされない意味がある差」なのかも検証します。世界終末時計の針には「前年よりも世界で核兵器が何%増えたら、0時までの時間を何秒減らす」というような数値データに基づく決定法はなく、現れる数値は唐突です。不満に思う人がいても不思議ではありません。

さらに近年は、世界終末時計の残り時間は核問題だけではなく、生物・化学兵器や気候変動問題などにも影響されるようになりました。「原子力科学者会報」自体も、現在は地球温暖化、気候変動、感染症なども人類への脅威になる事象として取り上げるようになり、非専門的な学術誌へと移行しています。けれど、世界終末時計で「あの理由でもこの理由でも、人類は滅亡の危機にある」と述べることは、本来の「核兵器の脅威に対して科学者が説明責任を果たし、市民を啓発する」という同誌の特徴が損なわれることになり、時刻の信憑《しんぴょう》性や切迫感も薄れさせています。

同誌は本年のプレスリリースに、「ロシアとウクライナの戦争は、世界終末時計を史上最も真夜中に近づけた。前例のない危機状態だ」と見出しをつけました。

「漠然としている」と感じませんか？　しかし、世界終末時計がキャッチーで毎年ニュースになるという長所を持つことは確かです。いっそ、科学技術の負の部分を思い起こさせてくれる年1回の啓発イベントとして、割り切って見守るべきなのかもしれません。

AI鑑定はアート界の救世主か？ルーベンス作品の真贋論争から考える

【ポイント】
・英ナショナル・ギャラリー所有の「サムソンとデリラ」が、AI鑑定で偽物と判定された
・この作品は、約10億円の価値があると信じられていた
・本物のルーベンス絵画であっても本人のみが描いた作品は少なく、真贋判定は難しい

ナショナル・ギャラリー所有のルーベンス絵画は偽物？

2021年9月、イギリスの国立美術館にあたる「ナショナル・ギャラリー」が所有する10億円の絵画が、AIによって偽物と判定されました。はたして、AIはアートの真贋の謎を解決する切り札となるのでしょうか。

問題の絵画は、17世紀のバロック時代の代表的な画家ピーテル・パウル・ルーベンス作とされる「サムソンとデリラ」です。
ルーベンスは「王の画家にして、画家の王」とも呼ばれ、世界で最も成功した画家と言われています。宮廷画家としてイタリアのマントヴァ、スペイン、ネーデルランドなどで活躍し、ヨーロッパ各地の他の宮廷や教会からも絵画の注文が殺到しました。生前に莫大な富を得て、死後も美術史に残る作品を描いた画家として評価され続けています。

一方、「サムソンとデリラ」は、旧約聖書の士師記《ししき》に登場する物語の一場面を描いた作品です。古代イスラエルの士師（指導者）サムソンは、怪力の持ち主でした。サムソンがデリラという女性を愛したため、敵のペリシテ人はデリラを利用して、その力の秘密を探ろうとします。サムソンは口を閉ざしていましたが、ついに「髪を切らないことが怪力の秘密だ」とデリラに打ち明けてしまいます。サムソンは敵に髪を切られ、両目をえぐられて奴隷にされます。しかし最期は神に祈って怪力が復活し、多くのペリシテ人を道連れにして死んでいきます。

ルーベンスの「サムソンとデリラ」は、サムソンの髪が切られる直前を描いています。デリラの膝枕で安心しきって眠っているサムソンのもとに、老女と男が現れます。老女がサムソンの頭上にロウソクを灯すと、男は今まさにサムソンの髪を切ろうとします。絵画の右側に見える半開きになった扉からは、サムソンを捕縛しようとする兵士たちの姿が見えます。

91・78%の確率で本物ではない

この作品は、ルーベンスが1609年に、後援者であるアントワープ市長ニコラス・ロコックスのために制作したものとされています。1980年にナショナル・ギャラリーがオークションで250万ポンド（現在の価値で約660万ポンド、約10億円に相当）で購入しましたが、当時から一部の専門家の間で偽物である可能性が指摘されていました。

たとえば、ルーベンスの「サムソンとデリラ」をもとにヤーコプ・マータムが彫刻した銅版画作品では、横たわるサムソンの右足はつま先まで描かれています。また、同世代の画家フランス・フランケン二世の絵画「ブルゴマスターロックスの家での宴会」では、マントルピースの上にルーベンスの「サムソンとデリラ」が飾られています。こちらの作品でもサムソンの右足はつま先まで描かれています。けれど、ナショナル・ギャラリーの所蔵品では途切れていて、足の先が見えません。さらに、この絵の色使いの特徴が、「ルーベンスのものではない」と主張する専門家もいます。

今回、AI鑑定をしたのは、スイスのArt Recognition《アートレコグニション》という会社です。絵画のAI分析システムを開発しており、オランダのティルブルフ大学との共同研究ですでに500作品の分析をしています。

AIによる分析では、すでにルーベンス作と評価の定まっている148作品をスキャンして

ルーベンスの「サムソンとデリラ」をもとに、ヤーコプ・マータムが作成した版画作品　提供：アフロ

フランス・フランケン二世の「ブルゴマスターロックスの家での宴会」。絵画内の中央上部に「サムソンとデリラ」が飾られている　提供：アフロ

筆致の特徴を捉え、問題の「サムソンとデリラ」と比較しました。結果は、「91・78％の確率で本物ではない」でした。対照として、ナショナル・ギャラリー所蔵で真贋の論争がないルーベンス作品「早朝のステーン城の風景」もＡＩ分析したところ、こちらは「98・76％の確率で本物」という結果でした。

ルーベンスのみが描いた作品は少ない

ＡＩの贋作判定について、ナショナル・ギャラリーは「現在はコメントできない」と答えています。もっとも、この発言は、偽物と認めたくなくて逃げているわけではないようです。

ルーベンスは生涯に２０００作を残した多作の画家で、工房を作って弟子や助手たちと共同制作をしていました。弟子が最初から最後まで描いていれば「偽物」ですが、本物のルーベンス絵画であっても、ルーベンスのみが描いた作品は少ないのです。ただし、本人の手がどれだけ入っているのか、ルーベンスが下絵や仕上げをしたのかによって、絵の価値は大きく変わります。たとえ偽物ではなくてもナショナル・ギャラリーの「サムソンとデリラ」に10億円の価値はない、という可能性は十分にあります。

さらに、ルーベンスの「サムソンとデリラ」には、下描きが2つ存在します。1つは米シンシナティ美術館に所蔵されている、木版に油彩で行われたスケッチです。もう1つは、ずっと

シンシナティ美術館所蔵、木版に油彩で行われた「サムソンとデリラ」のスケッチ　提供：アフロ

木炭と水彩で描かれた「サムソンとデリラ」のスケッチ　PUBLIC DOMAIN

個人に保管されていて、2014年のオークションで表に出てきた木炭と水彩で描かれたものです。実は、どちらの下描きもナショナル・ギャラリー所蔵と同じく、サムソンの右足のつま先は描かれていません。

ではなぜ、つま先があるバージョンがあるのでしょうか。

先に紹介したヤーコプ・マータムが版画にした「サムソンとデリラ」は、米シンシナティ美術館所蔵のスケッチを下絵にしていると考えられています。もしかしたら、銅版画にする時にヤーコプ・マータムが全体のバランスを考えて、サムソンにつま先を加えたのかもしれません。その後、フランス・フランケン二世は、マータムの銅版画を参考にして、自分の絵の中の「サムソンとデリラ」を描いたのかもしれません。なので、「つま先がないから贋作」という指摘は当を得ていない可能性があります。

AI鑑定の課題

絵画の鑑定は、一般的に①その画家特有の画法と筆致かどうかを判別し、②作品が誰の手に渡り、どのように伝わったかの履歴を調べることで鑑定します。それでも分からない場合は、③科学的手法を使います。顕微鏡で経年ヒビや筆遣いの状態を見たり、蛍光X線分析で画材やキャンバスの組成が当時に合致しているかを調べたりします。

ルーベンスの「サムソンとデリラ」で行われたＡＩ分析は、第４の鑑定方法として期待されています。けれど、ＡＩによる偽物判定は「２０００作もあるルーベンス作品のうち１４８作品との比較で正確を期せるのか」「仕上げの筆致がたとえ弟子だとしても、ルーベンスが作品構想から十分に関わっていたらルーベンス作と言えるのではないのか」などの課題もあります。

ルーベンスの真贋は、弟子が描いていたら化学分析や年代判定では判定が難しく、筆致鑑定も複数人のものが入り交じっていれば困難です。最新の科学的手法やＡＩ分析を使って真実に迫ることができても、未だ１００％の決着をつけるのは難しいところが、アートの深淵さを物語っているのかもしれません。

歌詞AI分析や1／fゆらぎに見る音楽と科学の深い関係

【ポイント】
・楽曲の歌詞を分析すると、作成された時代やアーティストごとの特徴が如実に現れる
・1／fゆらぎは、大きすぎも小さすぎもしないゆらぎなので、心地よさを感じさせる
・緊急地震速報のチャイムは、似たものがないことや聞きやすさを考慮して作られた

歌詞に含まれる感情ワードは時代を映す

ポピュラー音楽は「時代を映す鏡」と言われてきました。近年、その言葉を裏付けする研究がアメリカと日本で行われています。

米ローレンス工科大学のカスリーン・ネイピア氏とリオール・シャミール氏は、1951年から2016年の間に米シングル人気チャート「ビルボード・ホット100」にランキングさ

れた6000曲以上の歌詞の「感情」をＡＩ分析しました。

それぞれの曲の歌詞に含まれる怒り・恐れ・嫌悪・喜び・悲しみを示す言葉を0～1のスコアで数値化すると、「怒り・恐れ・嫌悪・悲しみ」のスコアは65年間で年々増えてきているのに、「喜び」は徐々に減ってきているという結果になりました。

さらに、1960年代後半から70年代初頭にかけて市民運動が活発化していた時期は怒りや嫌悪のスコアが高く、1989年の冷戦終結宣言の前後は「恐れ」スコアが急減したという現象も見られました。

アーティストの楽曲傾向が分かる日本製ツール

日本では、2017年に株式会社シンクパワーと産業技術総合研究所が歌詞のトピックを可視化するツール「Lyric Jumper《リリックジャンパー》」を開発して、誰でも使えるように無料公開しました。

このツールを使うと、あるアーティストの楽曲の傾向が「自分探し」「大人の恋愛（男性編）」「言葉遊び」など20個のトピックに沿って円グラフで表示されます。1曲ずつでも見られますし、各トピックの代表的なアーティスト名を知ることもできます。

たとえば、美空ひばりの歌であれば「人生」「ノスタルジー」「大人の恋愛（女性編）」に関する歌詞が多く、似た傾向を持つアーティストとして都はるみ、八代亜紀、石川さゆりといった女性演歌歌手が示唆されます。SMAPの曲の歌詞には「ラブソング」「自分探し」「大人の恋愛（男性編）」に分類される言葉が多く、ジャニーズグループの関ジャニ∞だけでなく、B'zやback numberの楽曲とも似た傾向があります。

J-POPでも見てみましょう。ビルボードの「ジャパン・ホット100」を15年分集計した「オールタイムTOP50」（2008~2022年）で、「Lemon」が第1位となった米津玄師の楽曲は、全体的に「自分探し」「大人の恋愛（女性編）」「センチメンタル」に関連する歌詞が多く、林原めぐみや高山みなみといった女性声優の歌う楽曲と共通点があると分析されています。

癒やしを感じさせる音の科学

音楽と科学を結びつけるキーワードでは、「1/fゆらぎ」が最もよく聞く言葉でしょう。

そもそも「ゆらぎ」とは、部分的な不規則性のことです。自然界で規則的だと思われるもの、たとえば天体の軌道運動などにもゆらぎは存在しています。太陽の周りを公転する地球は、毎年、全く同じ軌道を周回するわけではありません。

ある事象でゆらぎが大きすぎると、人は次に何が起こるかが予想できなくなり、不安に感じます。一方、ゆらぎが小さすぎると、人は単調で変化がないと感じるようになり、つまらないと感じてしまいます。

ゆらぎには何種類もありますが、1/fゆらぎはパワー（周波数密度）が周波数fに反比例するようなゆらぎです。

現在では、生物の神経細胞が発射する電気信号の間隔が1/fゆらぎをしていることが分かっています。さらに、人の生体リズムにも1/fゆらぎが存在すること、外部から五感に訴えられた時に1/fゆらぎが快適と感じることも判明しています。たとえば、小川のせせらぎ、そよ風、蛍の発光、ろうそくの炎の揺れなどは1/fゆらぎをしていて、体感すると心地よく感じると言われています。

日本の1/fゆらぎ研究の第一人者である故・武者利光《むしゃとしみつ》博士（東京工業大学名誉教授）は、自然界の1/fゆらぎ音を聞くと脳内がα波の状態になり、リラクゼーション効果をもたらすと説明します。以前から、聴くと癒やし効果があると言われていたモーツァルトの室内楽「アイネ・クライネ・ナハトムジーク」を分析すると、1/fゆらぎをしていることも検証されました。

最近は「1/fゆらぎの声の持ち主」も話題になっています。日本の歌手では、美空ひばり、MISIA、宇多田ヒカル、徳永英明、平井堅、Official髭男dismのボーカル・藤原聡《ふじはらさとし》らの歌声が1/fゆらぎをしていると分析されています。

癒やしに関する音の要素として、ヒーリング音楽では「528Hz《ヘルツ》」が強調されていることもあります。一部の生物学者や音楽療法者は「528HzはDNAを修復する」と主張します。ただし、断言するには、さらなる科学研究と再現性の確認を待たなければならないでしょう。もっとも、528Hzはグレゴリオ聖歌で使われる音階に現れる周波数です。長年にわたって人々の癒やしの記憶と結びついた音階と言えるのかもしれません。

緊急地震速報のチャイムの秘話

癒やしや気分をよくするために聴くのが音楽ですが、「人を緊迫させる音」を追求して社会に役立てた人もいます。

NHKが使っている緊急地震速報を知らせるチャイムは、音響学や福祉工学を専門とする伊《い》福部達《ふくべとおる》東京大学名誉教授に作成を依頼したものです。東日本大震災の第1報の前にも流れたこのチャイムは、①緊急性を感じさせるが不快感は与えない、②聴覚障がい者や高齢者などにも聞こえやすい、③すでに使われている効果音やアラーム音などに似ていないなどを考慮して作られました。

伊福部教授の叔父は、ゴジラの映画音楽などで知られる作曲家の伊《い》福《ふく》部《べ》昭《あきら》氏です。伊福部教授は、緊急地震速報のチャイムに「ゴジラ音楽」のフレーズを取り入れることも考えましたが、

「よく知られていて恐怖心を煽る面もある」と考え、昭氏の「シンフォニア・タプカーラ」の第3楽章冒頭部の和音を参考にしました。C調に移調して、アルペジオ（和音を構成する音を低音から1音ずつ連続して鳴らす）にしたのが「ド・ミ・ソ・シ♭・レ♯」のフレーズです。

伊福部教授は①アルペジオの速度を速くする、②「ソ・ド・ミ・シ♭・レ♯」に順番を変える、③フレーズの2度目は半音上げるなどの工夫を凝らして、実際のチャイムを作りました。

心地よい音楽が人々の生活を豊かにする一方で、聞くとビクリとする緊急地震速報のチャイム音は私たちの命を守るツールとして認識されてきました。科学で説明される前から人とともにあった「音」の研究は始まったばかりですが、今後も新たな視点を与えてくれそうです。

核融合エネルギー、世界新達成も2050年の実用化は無理？

【ポイント】

・核融合発電は、原料を国産で賄え安全性も高く、温室効果ガスが発生しない利点がある
・2021年に欧州施設で、核融合エネルギーの生成量が24年ぶりに大幅に更新された
・核融合発電の研究によって、日本の科学技術力の底上げが期待できる

欧州で核融合エネルギーの大幅更新

欧州各国の核融合研究機関からなるコンソーシアム「ユーロフュージョン（EUROfusion）」は2022年2月、イギリスのオックスフォード近郊にある欧州トーラス共同研究施設（JET）の実験装置で、核融合エネルギーの生成量を大幅に更新したと発表しました。

今回の記録は21年12月に行われた実験によるもので、核融合を5秒間維持して59MJ《メガジュール》のエネルギーを作り出すことに成功しました。これまでの記録は、1997年に同施設で記録された22MJでした。使用されたのは「トカマク」と呼ばれるドーナツ型装置で、JETが所有するものは80m^3《立方メートル》あって世界最大です。

地上に太陽をつくる研究

核融合反応と核分裂反応は混同されやすく、「核融合は原発や原爆に関わる研究だ」と誤解する人もいます。核融合反応の軍事利用である水素爆弾は、2種の水素に核融合を起こさせる起爆剤として原爆（核分裂反応）を使うので、余計に紛らわしいのでしょう。

核融合も核分裂も、原子核の安定が反応の原理となっています。

すべての元素の中で最も原子核が安定している鉄を基準にすると、鉄よりも軽い水素やヘリウムのような原子は原子核同士が融合して、より重い原子核となるほうが安定します。対して、鉄よりも重いウランのような原子は、分裂して軽くなるほうが安定します。

自然界での核融合は、太陽内部で熱を生み出す反応に代表されます。太陽では水素原子核4個からヘリウム原子核1個を作り出す核融合反応が起こっていて、誕生した46億年前から燃え続けています。数億年の長期にわたって膨大なエネルギーを生み出し続ける反応を、地球上で人工的に行って発電等に利用することを目指すのが核融合エネルギーの研究開発です。そのため「地上に太陽をつくる研究」とも言われています。

核融合反応を人工的に起こす場合は、重水素（通常の水素原子の2倍の質量を持つ水素）と三重水素（通常の水素原子の3倍の質量を持つ水素）がよく用いられます。両者が衝突して融合し、ヘリウムと中性子になると、大きなエネルギーを得ることができます。

地球上で重水素と三重水素を衝突させるためには、秒速1000㎞以上のスピードが必要となります。そのためには、1億℃以上に加熱しなければなりません。このような高温では、重水素と三重水素はプラズマ（気体分子が陽イオンと電子に分かれた状態）になっています。研究者たちは核融合を連続して起こすために、プラズマをドーナツ状の磁場に閉じ込める方法を考案しました。

ドーナツ型の装置の内張りには、核融合が効率よく行われるような物質を使っています。1997年の実験当時は炭素でしたが、炭素は核融合の材料である三重水素を吸収することが分かりました。そこで、今回の実験では炭素をベリリウムとタングステンに置き換えたところ、吸収率は10分の1以下に下がり、人工の核融合エネルギーの新記録が生まれました。

核融合エネルギーの利点は、①重水素と三重水素の原料になるリチウムは海水中に豊富に含まれていて、日本は輸入に頼らなくてよい、②反応で発生するのはヘリウムと中性子だけで、温室効果ガスが発生しないクリーンエネルギーである、③太陽光のような他のクリーンエネルギーと比べて、気象条件や環境に左右されずに一定のペースでエネルギーを生み出せることです。さらに、核融合反応は核分裂反応のような連鎖反応がないため、原理的に暴走が起こらないので安全性が高いといえます。燃料1g当たりのエネルギー量は、石炭・石油・ガスと比べると400万倍にもなり、廃棄物もほぼ出しません。

といっても、今回生成に成功した59MJのエネルギーでは、家庭用の浴槽に入る200ℓの常温水（20℃と仮定）を沸騰させることすらできません。核融合発電の実用化は遠い道のりのようです。

入力エネルギー以上の核融合エネルギーを出力

核融合エネルギーの実験は、アメリカでも熱心に取り組まれています。

2022年12月、米ローレンス・リバモア国立研究所は、「所内の核融合炉で、照射したレーザーのエネルギーを上回る核融合エネルギーを取り出すことに成功した」と発表しました。米エネルギー省のジェニファー・グランホルム長官は記者会見で、「21世紀における最も偉大な科学的功績の一つだ」と称えました。

実験は、同研究所の国立点火施設（NIF）で12月5日に行われました。まず、重水素と三重水素を凍らせてペレット（塊状）にして小さな円筒に入れて、レーザー照射で2・05MJのエネルギーを与えました。すると、ペレットは高温高圧状態になって水素の核融合が起こり、ペレットを熱するのに使われたエネルギーの約1・5倍にあたる3・15MJのエネルギーを発生させました。

ただし、この実験で得られた核融合エネルギーは、水素原子核を熱するために使用したエネルギーよりは多かったものの、核融合炉が使用した総エネルギーには遠く及ばないものでした。2・05MJのレーザーを作るためには、約300MJのエネルギーが必要だったからです。この成果も、すぐに実用化につながるものではありません。

核融合発電の実用化へのステップ

文部科学省は、核融合エネルギーの実用化に向けた研究開発を3段階で考えています。

第1段階は、プラズマを高温にするために外部から投入されるエネルギーと、核融合反応によって生じるエネルギーが等しくなる「臨界プラズマ条件」を満たす段階です。国内の実験では、日本原子力研究所（現・日本原子力研究開発機構）のJT-60で1996年秋に達成しました。

第2段階は、プラズマが加熱を止めても核融合エネルギーによって持続する「自己点火条件」の達成と、プラズマを長時間維持する段階です。現在、日本や世界が取り組んでいるのがこの局面です。

第3段階は、実際に発電をして技術的な実証と経済的実現性を検証する段階です。「原型炉」を建設して運転します。これらの3段階を経て、核融合発電の実用化を目指します。

フランス南部のカダラッシュに建設中の国際熱核融合実験炉「ITER（イーター）」は、世界人口の半分以上、世界GDPの4分の3以上を占める、日本、EU、アメリカ、ロシア、中国、韓国、インドの7極が計画に関わっています。JETの10倍の容量のドーナツ型装置を使って臨界プラズマ条件を達成し、約400秒の核融合反応を行う予定です。

2025年に設備を完成させ、35年に核融合を開始する計画ですが、すぐに核融合発電が実用化できるわけではありません。50年頃に原型炉を建設して、商業的に採算がとれるかの検討も含めた実用化の判断をします。日本では国産の原型炉の運転開始も2050年に目標設定しています。

核融合発電研究で飛躍する日本の科学技術

2050年は、地球温暖化に関する目標達成の世界的に重要な節目の年にもなっています。

気候変動に関する政府間パネル（IPCC）によると、産業革命以来の気温上昇を1・5℃以内に抑えるには、2050年頃までに温室効果ガスの実質排出量をゼロにするカーボンニュートラル（ネットゼロ）の達成が必要です。日本を含めた120カ国以上が、2050年までのカーボンニュートラルの実現を表明しています。

核融合発電が実用化すれば温室効果ガス削減に大きな効果がありますが、これまでの開発ペースでは2050年までの実用化は不可能です。日本は核融合関連の研究開発に年間200億円以上の予算を使っています。開発に時間がかかりすぎてカーボンニュートラルの解決策にならない、30年の間には、技術的・経済的にもっと実用化しやすいクリーンエネルギーが得られるのではないかという批判もあります。

とはいえ、核融合発電の研究は、日本の総合的な科学技術力を大きくステップアップさせる機会になると期待されています。実用化を目指すことで、高温プラズマの研究だけでなく、1億℃に耐えうる装置や磁場を作成するコイルの作成、特殊な電源の開発、効率的な電力の取り出し、安全対策の技術など広範な科学技術が必要なため、分野を横断する研究者の協働が求められるからです。プロジェクトを俯瞰して統括するマネジメント人材の育成も促進されますし、若手研究者が国際プロジェクトに参加することでグローバル人材の育成にもなります。

多大な費用をかけて研究開発する核融合発電の費用対効果の議論はこれまで以上に進めるべきですが、このプロジェクトの最大のメリットは、技術、人材の両面から日本の科学技術力を総合的に底上げできるところでしょう。

未来予想図の答え合わせ　100年前、50年前、そして50年後はどんな世界に？

【ポイント】
- 1920年の雑誌に掲載された「百年後の日本」特集は、女性の活躍や動画視聴を当てた
- EXPO'70では、2020年代の情報化社会とグローバリゼーションを予言していた
- 50年後の世界は、地球温暖化の懸念はあるが、医療や災害対策の向上が期待されている

知識人や専門家が描く未来像

新年になると、今年は自分にとってどんな年になるのか、世界情勢はどうなるのかと、予想する人は多いのではないでしょうか。

今回は、スケールアップした未来予想を紹介します。100年前、50年前の人たちは、2020年代をどのように予想していたのでしょうか。また、今日の専門家たちは、50年後の20

70年の世界をどのように思い描いているのでしょうか。

古くから、人々は希望と不安を持ちながら未来の世界を予想してきました。過去の人の想像力や、同世代の専門家の分析を楽しんでみましょう。

100年前の未来予想は「義首」の発明

最初に紹介するのは、100年前の未来予想です。

1920年（大正9年）、雑誌「日本及日本人」春季増刊号では「百年後の日本」の大特集が組まれました。学者、思想家、文学者、実業家ら当時の知識人たち370人が回答を寄せ、挿絵が添えられました。

予想が当たったものには、『百年後の交通巡査（女）』（女性警察官の任用は1946年から）や「芝居も寄席も居ながらにして観たり聴いたりできる『対面電話』」（スマホでの動画視聴）、予想が外れたものには「巡空する『空中警察』」や『医術の大進歩　義首の発明』（義眼や義肢ならぬ人工の首）、現実が予想を超えたものには『世界的大成金の豪遊振り』（予想ではエッフェル塔を飛行船から観光しているが、現実では宇宙旅行すらできる）があります。

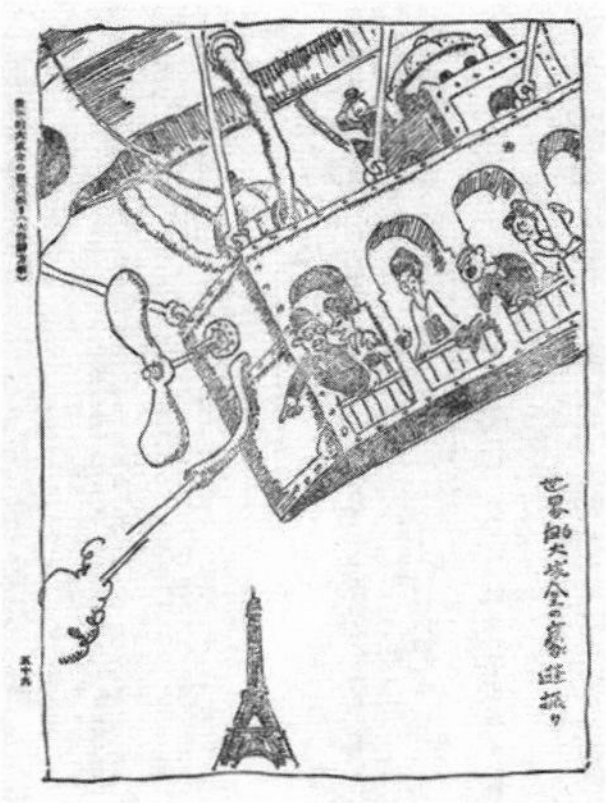

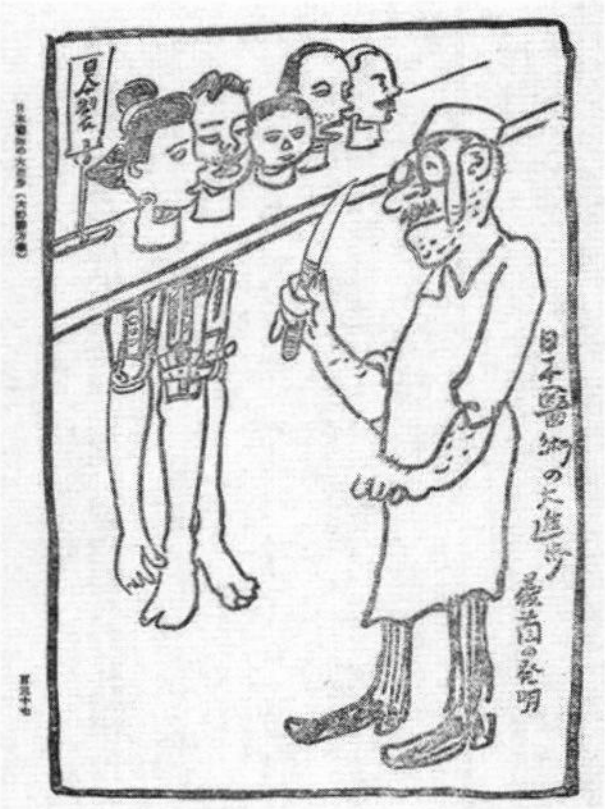

右上図版：『百年後の交通巡査（女）』雑誌「日本及日本人」（1920年）より

右下図版：『医術の大進歩　義首の発明』雑誌「日本及日本人」（1920年）より

左上図版：『世界的大成金の豪遊振り』雑誌「日本及日本人」（1920年）より

EXPO'70で予想されていたインターネット

次に、50年前の未来予想です。

1970年に開催された日本万国博覧会（大阪万博、EXPO'70）は、アジア初かつ日本で最初の国際博覧会でした。いくつかのパビリオンでは、当時の先端技術の粋《すい》を集めて生活用品への応用を披露したり、将来の科学技術の発展を予言したりしました。

たとえばサンヨー館（三洋電機グループ提供）には、「明日の生活環境への試み」として、人間洗濯機（ウルトラソニック・バス）、フラワー・キッチン、家庭用インフォメーション・システム、健康カプセルが展示されました。

人間洗濯機は、装置の中で15分間座っているだけで体がきれいになるシステムです。楕円カプセル内の椅子に座ってスイッチを押すと、かけ湯、洗浄、すすぎ、乾燥が自動的に行われます。洗浄にはマッサージボールや超音波を使っていて、血行を良くする効果もありました。人間洗濯機の技術は、同社が2003年に発売した「座ったままで入浴ができる介護用入浴装置」で実用化されました。

フラワー・キッチンは、丸テーブルの中に冷蔵・冷凍庫、電子レンジ、ホットプレート、食器洗い機、食器棚などが配置されており、ボタンを押すだけで必要な装置を手元まで呼び寄せることができるシステムでした。

家庭用インフォメーション・システムは、５つのカラーブラウン管にテレビ、ビデオ、テレビ電話、映写機、電子計算機、電波新聞などの機能を呼び出すことができて、家庭にいながらビジネス会議や買い物ができる構造になっていました。このアイディアは、95年頃からのＰＣとインターネットの普及によって実現します。

健康カプセルは、多機能のミニプライベートルームです。球形のカプセルの中に、ベッドにもなる電動リクライニングシートを中心に、テレビ、ステレオ、テレビ電話、冷蔵庫、調光装置、空調装置、ミニテーブルなどがセットされていました。日本初のカプセルホテルの開業は79年ですから、カプセルホテルを先取りしているだけでなく、実際よりも盛りだくさんな機能がついた装置でした。

一般家庭のプールや自家用ヘリコプターは実現せず

同じく大阪万博に出展した三菱未来館（三菱万国博綜合委員会提供）のテーマは、「50年後の日本　陸・海・空」、つまり2020年の未来予想でした。展示で紹介された未来予想のいくつかを、２０２３年時点で〇（実現済み）、△（一部実現済み）、×（未実現）に分けてみましょう。

〇　世界中のテレビ中継が見られる。

○　教育の国際的交流が広がり、留学も簡単にできるようになる。
○　淡水魚の養殖技術が発達する。
○　未来住宅の室内には、壁掛けテレビ、ホーム電子頭脳、電子調整器などが普及する。
△　人工臓器は健康な体の一部として活躍する。
△　家事はすべて機械がやるため、主婦は電子チェアに座ってボタンを押すだけとなる。
△　会社は24時間業務を続けるが、人間の働く時間は1日4時間になる。
△　肉体労働は完全に姿を消す。
×　がんは克服され、交通事故の時以外は手術が不必要になる。
×　稲作は減少して、酪農に重点を置く。
×　グライダー操作や海底散歩が、一般的で人気のあるスポーツとなる。
×　プールや自家用ヘリコプターが一般家庭に普及する。

情報化社会とグローバリゼーションは、ほぼ予想通りに到来しました。しかし、家事やビジネスの完全オートメーション化までは達成できませんでした。医学も、疾病の根絶にはまだ時間がかかりそうです。さらに、世界的な人口増加に起因する深刻なタンパク質不足（タンパク質危機）や菜食主義の台頭、環境問題によって酪農が衰退することは、50年前は予想できなかったようです。

2070年は30億人がサハラ砂漠並みの気候下で暮らす？

続いて、現在、専門家によって提唱されている約50年後の2070年の未来予想を見てみましょう。

博報堂生活総合研究所の未来年表によると、2070年頃の世界の人口は約90億人で、その後は減少すると予測されています。国連はもともと「2100年に109億人になるまで、世界人口は増え続ける」と発表していました。けれど2020年に米ワシントン大学の研究チームは、「世界人口がピークを迎えるのはもっと早く、2064年に97億人がピーク」と予測しました。ピークが早まったのは、想像を上回るペースで世界的に少子化が進んでいることが主な原因です。

50年後の世界では、地球の平均気温は、温暖化のため、現在よりも1・9～3・4℃上昇しています。気温上昇によって、大豆やトウモロコシは収量が減少すると予測されています。南極では解氷が進み、世界の海面は2000年と比べて0・5m上昇します。さらにオランダのワーゲニンゲン大学の研究チームは、「気候変動への対策なしでは、世界人口の3分の1（30億人）は現在のサハラ砂漠と同じくらい暑い地域に住まざるを得なくなる」と警鐘を鳴らします。

もっとも、環境問題に関しては悪い予測だけではありません。世界各国が環境への配慮をすることで、紫外線増大や地球温暖化の原因となるオゾンホール（南極・北極での春期のオゾン濃度減少）は修復され、日本ではCO_2排出量は実質ゼロになると考えられています。

２０７０年の科学技術については、東京理科大学理工学部の教員が２０１６年に「50年後の未来予想図」を作りました。一部を紹介しましょう。

災害対策では、都市には地震エネルギーを吸収する免震プレートが敷かれて、大地震が起きても被害が軽減されます。地震で揺れず、津波の影響が少ない海上都市も建築されます。

医療面では、健康チェックトイレによって尿が即時に分析されます。さらに、結果はオンラインで医療機関に送られるので、病気の早期発見や経過観察に役立ちます。近赤外線を使った新しい画像診断装置も開発されます。

エネルギー問題を解決するため、世界規模の電力網が結ばれ、太陽光発電や風力発電などの環境負荷の小さい方法で、世界中の国や地域が電力を融通しあえるようになります。

未来のホテルはベッドに「見たい夢」を設定

さらに、宿泊予約サービス「ホテルズドットコム（Hotels.com）」は、未来学者ジェームズ・

カントンと共に「２０６０年以降のホテル像」を取りまとめました。

未来のホテルでは、宿泊客には自立型ロボットがバトラーとして付いて、送迎やコンシェルジュサービス、料理、清掃、時にはビジネスのアドバイスまで提供します。客室には発展型３Ｄプリンターが完備され、洋服や電子デバイスを作ったり、ネットショッピングしたものを実物でダウンロードしたりすることも可能です。ＤＮＡ解析によって滞在者個人に合わせたアンチエイジング・スパが用意され、ベッドには「見たい夢」を設定できます。

ホテルの形態も多様になります。ＡＲ（拡張現実）ホテルが登場し、宿泊客は時空を超えた冒険旅行や歴史探訪なども体験できるようになります。

50年後は、科学技術の発展という面では現在よりも生活環境は向上します。けれど、自然環境や人口の予測も含めると、単純に明るい未来とは言い難いようです。さらに、物理学者でＡＩ（人工知能）兵器に詳しい作家のルイス・Ａ・デルモンテは、「２０７０年には、ＡＩが人間のあらゆる認知能力を超え、人知を超えた兵器が現れる」と予測しています。ＡＩに人が支配されない対策を立てるためにも、２０７０年までの50年間は人類にとって大切な時間になりそうです。

主要参考文献

第1章

◆若田光一宇宙飛行士（第68 次長期滞在クルー）の帰国記者会見（JAXA｜宇宙航空研究開発機構、2023年5月24日） https://www.youtube.com/watch?v=sRmV43SVcJs
◆若田宇宙飛行士ミッション報告会（JAXA｜宇宙航空研究開発機構、2023年5月27日） https://www.youtube.com/watch?v=koiccX0eqhQ
◆宇宙天気予報の高度化の在り方に関する検討会報告書 「文明進化型の災害」に対応した安全・安心な社会経済の実現に向けて（総務省、2022年6月21日） https://www.soumu.go.jp/main_content/000821116.pdf
◆宇宙天気予報 太陽フレア（国立研究開発法人情報通信研究機構） https://swc.nict.go.jp/trend/flare.html
◆アルテミス計画（NASA） https://www.nasa.gov/specials/artemis/
◆月探査、火星探査計画（NASA） https://www.nasa.gov/specials/moontomars/
◆中国科学家首次在月球上发现新矿物 国家航天局、国家原子能机构联合发布嫦娥五号最新科学成果（中国国家航天局、2022年9月9日） http://www.cnsa.gov.cn/n6758823/n6758838/c6840839/content.html
◆The official IMA-CNMNC List of Mineral Names, Updated list of IMA-approved minerals（IMA） http://cnmnc.units.it/ より入手可能
◆Lunar Sample Mineralogy（NASA） https://curator.jsc.nasa.gov/lunar/letss/mineralogy.pdf
◆Exoplanet Archive（NASA） https://exoplanetarchive.ipac.caltech.edu/
◆Look! Up in the sky! Is it a planet? Nope, just a star. Among thousands of known exoplanets, MIT astronomers flag three that are actually stars. Jennifer Chu and MIT News Office, March 15, 2022 https://news.mit.edu/2022/planet-star-classification-0315

第2章

◆データからわかる－新型コロナウイルス感染症情報－（厚生労働省、2023年5月7日まで） https://covid19.mhlw.go.jp/
◆新型コロナウイルス感染症サーベイランス速報・週報：発生動向の状況把握（国立感染症研究所、2023年5月8日より） https://www.niid.go.jp/niid/ja/2019-ncov/2484-idsc/12015-covid19-surveillance-report.html
◆COVID-19 Dashboard by the Center for Systems Science and Engineering（CSSE） at Johns Hopkins University（JHU）（2023年3月10日まで） https://coronavirus.jhu.edu/map.html
◆Our World in Data https://ourworldindata.org/
◆CLAUDIA P. AREVALO et al., A multivalent nucleoside-modified mRNA vaccine against all known influenza virus subtypes. SCIENCE, 24 Nov 2022 Vol 378, Issue 6622, pp. 899-904.
◆2023/24シーズン向けインフルエンザワクチンの製造株について（厚生労働省健康局予防接種担当参事官室、2023年4月24日） https://www.mhlw.go.jp/content/10906000/001089486.pdf
◆Takae Shinto et al., Interaction effects of sex on the sleep loss and social jetlag-related negative mood in Japanese children and adolescents: A cross-sectional study. SLEEP Advances, Volume 3, Issue 1, 2022, zpac035.
◆令和3年 社会生活基本調査の結果（総務省統計局） https://www.stat.go.jp/data/shakai/2021/kekka.html
◆Susan P. Foy et al., Non-viral precision T cell receptor replacement for personalized cell therapy. Nature. volume 615, pp. 687-696（2023）.
◆MARTIN JINEK et al., A Programmable Dual-RNA–Guided DNA Endonuclease in

Adaptive Bacterial Immunity. SCIENCE, 28 Jun 2012 Vol 337, Issue 6096, pp. 816-821.
◆Australia gives world-first approval for faecal transplants to restore gut health by Tory Shepherd, The Guardian, 10 Nov 2022.
https://www.theguardian.com/australia-news/2022/nov/11/australia-gives-world-first-approval-for-faecal-transplants-to-restore-gut-health
◆Human microbiome project（National Institute of Health）
https://commonfund.nih.gov/hmp
◆University of Maryland School of Medicine Faculty Scientists and Clinicians Perform Historic First Successful Transplant of Porcine Heart into Adult Human with End-Stage Heart Disease by Deborah Kotz, University of Maryland School of Medicine, January 10, 2022.
https://www.medschool.umaryland.edu/news/2022/University-of-Maryland-School-of-Medicine-Faculty-Scientists-and-Clinicians-Perform-Historic-First-Successful-Transplant-of-Porcine-Heart-into-Adult-Human-with-End-Stage-Heart-Disease.html
◆Bartley P. Griffith et al., Genetically Modified Porcine-to-Human Cardiac Xenotransplantation. New England Journal of Medicine, 2022, 387, pp.35-44.

第3章
◆J. E. ラヴロック著、星川淳訳『ガイアの科学 地球生命圏』工作舎、1984年.
◆ジェームズ・ラブロック著、秋元勇巳監修、竹村健一訳『ガイアの復讐』中央公論新社、2006年.
◆Yi Yang & Xiaodong Song, Multidecadal variation of the Earth's inner-core rotation. Nature Geoscience, volume 16, pp.182-187 (2023).
◆WEI WANG & JOHN E. VIDALE, Seismological observation of Earth's oscillating inner core. SCIENCE ADVANCES, 10 Jun 2022, Vol 8, Issue 23.
◆The Enigma Black Diamond | A Rare Cosmic Wonder（Sotheby's）
https://www.youtube.com/watch?v=RcT7eC9qcFc
◆ダイヤモンド：雑学（GIA）
https://www.gia.edu/JP/gia-news-research-diamond-fun-facts
◆U.S. Navy Diving Manual / Revision 7 (2016).
◆知床遊覧船事故と事故原因について（報告）（国土交通省）
https://www1.mlit.go.jp:8088/policy/shingikai/content/001583300.pdf
◆2023年のさくらの開花状況（気象庁）
https://www.data.jma.go.jp/sakura/data/sakura_kaika.html
◆勝木俊雄著『桜』岩波書店（岩波新書）、2015年.
◆中川久夫、新妻信明、早坂功. 房総半島新生代地磁気編年. 地質学雑誌第75巻第5号267-280頁、1969年.
◆千葉県立中央博物館　トピックス展「チバニアン正式決定!」
http://www2.chiba-muse.or.jp/www/NATURAL/contents/1583910248878

第4章
◆The mice with two dads: scientists create eggs from male cells. Proof-of-concept mouse experiment will have a long road before use in humans is possible. Heidi Ledford & Max Kozlov, Nature NEWS, 09 March 2023.
◆Kenta Murakami et al., Generation of functional oocytes from male mice in vitro. Nature, volume 615, pp.900-906 (2023).
◆MASAFUMI HAYASHI et al., Robust induction of primordial germ cells of white rhinoceros on the brink of extinction. SCIENCE ADVANCES, 9 Dec 2022, Vol 8, Issue 49.

◆Emily A. Partridge et al., An extra-uterine system to physiologically support the extreme premature lamb. Nature Communications, volume 8, Article number: 15112 (2017).
◆Susumu Katsuma et al, A *Wolbachia* factor for male killing in lepidopteran insects. Nature Communications, volume 13, Article number: 6764 (2022).
◆Takahiro Fukui et al., The Endosymbiotic Bacterium *Wolbachia* Selectively Kills Male Hosts by Targeting the Masculinizing Gene. PLOS PATHOGENS, July 14, 2015.
◆アニサキス症とは（国立感染症研究所）
https://www.niid.go.jp/niid/ja/kansennohanashi/314-anisakis-intro.html
◆Kou Matsuoka & Tatsuomi Matsuoka, Over-the-counter medicine (Seirogan) containing wood creosote kills *Anisakis larvae*. Open Journal of Pharmacology and Pharmacotherapeutics, 1 July 2021.
◆Yujiro Kakei et al., Integration of body-mounted ultrasoft organic solar cell on cyborg insects with intact mobility. npj Flexible Electronics, 6, Article number: 78 (2022).
◆Quince（千葉工業大学未来ロボット技術研究センター）
https://www.furo.org/ja/robot/quince/
◆S. レザーウッド、R. リーヴズ著、吉岡基ほか訳『クジラ・イルカハンドブック―シエラクラブ版』平凡社、1996年.
◆Russia's Killer Military Dolphins Are Defending Its Crimean Naval Base by Blake Stilwell, Military.com, 14 Oct 2022.
https://www.military.com/daily-news/2022/10/14/russias-killer-military-dolphins-are-defending-its-crimean-naval-base.html
◆公益財団法人環境科学技術研究所 環境研ミニ百科第6号「花の色素の話　花の色は移りにけりな」平成7年10月30日.
◆田中修著『雑草のはなし』中央公論新社（中公新書）、118-125頁、2007年.

第5章
◆ChatCPT公式ページ　https://openai.com/blog/chatgpt
◆Tiffany H. Kung et al., Performance of ChatGPT on USMLE: Potential for AI-assisted medical education using large language models. PLOS DIGITAL HEALTH, February 9, 2023.
◆世界終末時計　https://thebulletin.org/doomsday-clock/
◆Robert K. Elder, J. C. Gabel, The Doomsday Clock at 75, Hat & Beard Press, 2022.
◆Was famed Samson and Delilah really painted by Rubens? No, says AI by Dalya Alberge, The Guardian, 26 Sep 2021.
https://www.theguardian.com/artanddesign/2021/sep/26/was-famed-samson-and-delilah-really-painted-by-rubens-no-says-ai
◆ロンドン・ナショナル・ギャラリー公式サイト「サムソンとデリラ」
https://www.nationalgallery.org.uk/paintings/peter-paul-rubens-samson-and-delilah
◆Lyric Jumper　https://lyric-jumper.petitlyrics.com/
◆武者利光著『ゆらぎの発想 1/fゆらぎの謎にせまる』日本放送出版協会（NHKライブラリー）、1998年.
◆Fusion energy record demonstrates powerplant future (UK Atomic Energy Authority)
https://ccfe.ukaea.uk/fusion-energy-record-demonstrates-powerplant-future/
◆核融合研究（文部科学省）　https://www.mext.go.jp/a_menu/shinkou/iter/019.htm
◆『日本及日本人【増刊】　百年後の日本』（大正9年4月5日発行・復刻）ジェーアンドジェー・コーポレーション、2002年.
◆万博記念公園HP　大阪万博　https://www.expo70-park.jp/cause/expo/

本書は、ニューズウィーク日本版Ｗｅｂ掲載、科学コラム「サイエンス・ナビゲーター」を改稿してまとめたものです。

協力：アップルシード・エージェンシー

茜 灯里《あかね あかり》

作家・科学ジャーナリスト／博士（理学）・獣医師。東京生まれ。東京大学理学部地球惑星物理学科卒業、東京大学大学院理学系研究科地球惑星科学専攻博士課程修了。東京大学農学部獣医学課程卒業。朝日新聞記者を経て、東京大学、立命館大学などで教鞭をとる。著書に第24回日本ミステリー文学大賞新人賞受賞作『馬疫』（2021年、光文社）、『地球にじいろ図鑑』（2023年、化学同人）、分担執筆に『ニュートリノ』（2003年、東京大学出版会）、『科学ジャーナリストの手法』（2007年、化学同人）など。

インターナショナル新書一三〇

ビジネス教養《きょうよう》としての
最新《さいしん》科学《かがく》トピックス

二〇二三年一〇月一一日 第一刷発行

著者 茜 灯里《あかね あかり》
発行者 岩瀬 朗
発行所 株式会社 集英社インターナショナル
〒一〇一－〇〇六四 東京都千代田区神田猿楽町一－五－一八
電話 〇三－五二一一－二六三〇
発売所 株式会社 集英社
〒一〇一－八〇五〇 東京都千代田区一ツ橋二－五－一〇
電話 〇三－三二三〇－六〇八〇（読者係）
〇三－三二三〇－六三九三（販売部）書店専用
装幀 アルビレオ
印刷所 大日本印刷株式会社
製本所 大日本印刷株式会社

 ISBN978-4-7976-8130-7 C0240

インターナショナル新書

127
未来を語る人
ジャレド・ダイアモンドほか
大野和基・編

地球温暖化、感染爆発、国際紛争、そして格差拡大…。世界を覆う難題を解決するのは、資本主義の大改革か、新たなコミュニズムか。いま世界で最も注目されている8人の学者に、資本主義の行方と日本の進路を訊く。

128
全国水害地名をゆく
谷川彰英

近年増加している集中豪雨や台風による被害。そこで地名ハンターの著者が、水にちなむ全国の地名を現地調査。水と闘い、共生してきた人々のエピソードを交えながら、その地名の本当の由来や変遷を探る。

129
消齢化社会
年齢による違いが消えていく！
生き方、社会、ビジネスの未来予測
博報堂生活総合研究所

注目ワード〝消齢化〟を、博報堂生活総研30年のデータで読み解く！　年齢による価値観や嗜好の違いが小さくなっていく社会＝「消齢化社会」の実像と未来予測。ビジネスはどう変わる？　発想転換のヒントが満載。

131
負ける力
東尾　修

勝利の裏には、必ず負けがある。ライオンズ一筋で20年間プレーし、通算251勝247敗23セーブの成績を残した東尾修が、野球人生でつかんだ「負けから這い上がるための心構え」を説く。